D0609001

DÉCOUVREZ LES FOLIO À 2 €

ARAGON   *Le collaborateur* et autres nouvelles

TONINO BENACQUISTA   *La boîte noire* et autres nouvelles

TRUMAN CAPOTE   *Cercueils sur mesure*

DIDIER DAENINCKX   *Leurre de vérité* et autres nouvelles

FRANCIS SCOTT FITZGERALD   *La Sorcière rousse*, précédé de *La coupe de cristal taillé*

JEAN GIONO   *Arcadie... Arcadie...*, précédé de *La pierre*

HENRY JAMES   *Daisy Miller*

FRANZ KAFKA   *Lettre au père*

JOSEPH KESSEL   *Makhno et sa juive*

LAO SHE   *Histoire de ma vie*

IAN Mc EWAN   *Psychopolis* et autres nouvelles

YUKIO MISHIMA   *Dojoji* et autres nouvelles

RUTH RENDELL   *L'Arbousier*

PHILIP ROTH   *L'habit ne fait pas le moine* précédé de *Défenseur de la foi*

LEONARDO SCIASCIA   *Mort de l'Inquisiteur*

Louis Aragon

Le collaborateur

et autres nouvelles

Gallimard

Ces nouvelles sont extraites de *Servitude et grandeur des Français*, paru dans *Le mentir vrai* (Folio n° 3001).

Né en 1897 à Paris et élevé par sa mère et ses tantes, Louis Aragon n'a connu le nom de son père qu'à l'âge adulte. Il est mobilisé comme médecin auxiliaire en 1917 et rencontre André Breton et Philippe Soupault qui lui font découvrir le dadaïsme et le surréalisme naissant. Il publie alors ses premiers poèmes, collabore aux revues surréalistes, avant de trouver son style propre dans le roman avec *Anicet ou Le Panorama* en 1921, puis *Les aventures de Télémaque* (1922). En 1926 paraît *Le paysan de Paris*, fable philosophique dans laquelle, comme un paysan ouvrant à tout de grands yeux, le poète nous apprend à voir la ville d'un regard neuf. L'année 1928 est marquée par sa rencontre avec une jeune Russe, Elsa Triolet, qui ne le quittera plus.

Entrés au Parti communiste, ils font de nombreux voyages en URSS et Aragon devient journaliste à *L'Humanité*. Son engagement politique imprègne désormais toute son œuvre et l'éloigne du surréalisme. Il commence à publier la grande fresque romanesque du *Monde réel* en 1934 avec *Les cloches de Bâle*, puis *Les Beaux Quartiers* en 1936 qui raconte l'histoire de deux frères venus à Paris et dont les itinéraires divergent, à l'image des clivages idéologiques d'avant-guerre ; en 1942, *Les Voyageurs de l'impériale*, en 1944 *Aurélien*, le roman d'un amour fou, et enfin *Les Communistes* entre 1949 et 1952. Fait prisonnier en 1940, il réussit à s'évader et entre dans la Résistance. Dans ses poèmes *Le Crève-cœur*, *Cantique à Elsa* et *Les Yeux d'Elsa*, il mêle amour de la patrie et amour d'Elsa avec une ferveur poignante. Il publie dans la clandestinité les nouvelles du recueil *Servitude et grandeur des Français*.

Au lendemain de la guerre, Aragon est devenu la figure même de l'intellectuel communiste et rédige articles, essais littéraires et poétiques sans toutefois négliger son œuvre poétique (*Le Fou d'Elsa* paraît en 1963). Il tente de rompre avec son image de « grand écrivain » dans *Blanche ou L'oubli* et dans *La Semaine Sainte*, dont le narrateur, le jeune peintre Théodore Géricault, assiste au retour de l'île d'Elbe de Napoléon. Après la mort d'Elsa en 1970, il se retire du monde et ne publie plus qu'un texte, *Théâtre/Roman*, livre essentiel qui veut éclairer de l'intérieur la totalité de son œuvre. Les nouvelles du *Mentir-vrai* qui contiennent une réflexion sur l'écriture paraissent en 1980. Jusqu'à sa mort en 1982, il se consacre à la publication de son *Œuvre poétique* complète.

Virtuose de la langue, auteur d'une œuvre extrêmement diverse, Aragon est aussi bien l'écrivain de l'engagement que celui de la passion amoureuse.

Découvrez, lisez ou relisez les livres de Louis Aragon :

ANICET OU LE PANORAMA, roman (Folio n° 195)

AURÉLIEN (Folio n° 1750)

LES AVENTURES DE TÉLÉMAQUE (L'Imaginaire n° 370)

LES BEAUX QUARTIERS (Folio n° 241)

BLANCHE OU L'OUBLI (Folio n° 792)

LES CLOCHES DE BÂLE (Folio n° 791)

LE LIBERTINAGE (L'Imaginaire n° 9)

LE MENTIR-VRAI (Folio n° 3001)

LA MISE À MORT (Folio n° 314)

LE PAYSAN DE PARIS (Folio n° 782)

LA SEMAINE SAINTE (Folio n° 3099)

THÉÂTRE/ROMAN (L'Imaginaire n° 381)

TRAITÉ DU STYLE (L'Imaginaire n° 59)

LES VOYAGEURS DE L'IMPÉRIALE (Folio n° 120)

LE CRÈVE-CŒUR – LE NOUVEAU CRÈVE-CŒUR (Poésie/Gallimard)

LE MOUVEMENT PERPÉTUEL (Poésie/Gallimard)

LES POÈTES (Poésie/Gallimard)

LE ROMAN INACHEVÉ (Poésie/Gallimard)

Les rencontres

Sa sœur était sténo de presse au journal : une fille courageuse et dévouée, cette Yvonne ; presque jolie malgré ce petit nez en l'air. Elle avait de grands yeux bleus. Je lui aurais bien fait la cour, mais elle était sérieuse et moi... le mariage... C'est au Vél'd'Hiv' que je les ai rencontrés ensemble, la première fois. Bien que je ne sois pas du tout un sportif, on avait la rage de m'envoyer, en plus du type des sports, aux grands trucs, football, courses, etc., pour l'atmosphère. Vous me ferez un chapeau de vingt-cinq lignes, Julep...

Ce que ce nom m'agace. Je m'appelle Pierre Vandermeulen, je n'avais signé Julep que par plaisanterie, d'abord, rien que les petits machins idiots qu'on me faisait faire à droite et à gauche, réservant mon vrai nom pour les textes sérieux, bien écrits... Ce sont les idioties qui ont eu du succès, et Julep qui est devenu célèbre, et peu à peu Pierre Vandermeulen s'efface devant Julep... Ce que c'est que la vie...

Donc c'était au Vél' d'Hiv' il y a peut-être dix ans. Un soir des Six Jours, dans la lumière mauve et brutale, les coureurs tournaient, tournaient... J'avais passé une heure en bas, entre les haut-parleurs, le buffet, les gens chic insultés de la frise par la masse des vrais amateurs et puis j'étais grimpé au populaire, comble ce soir-là. D'une des travées, j'avais vu en dessous, vers les premiers rangs, ce jeune possédé qui scandait la course à grands coups de poing contre l'air, qui criait, se penchait vers sa voisine... Juste ce qu'il me fallait pour l'atmosphère, précisément. Je m'étais approché pour l'observer quand sa voisine m'interpella : «Monsieur Julep ?» La gloire, quoi. Non, enfin, ce n'était qu'Yvonne, et le forcené à côté d'elle son frère, Émile Dorin, un métallo, avec le même nez en l'air qu'elle, mais pas ses beaux yeux, des cheveux châtains qui faisaient de grandes mèches plates, et pour l'instant des perles de sueur au front. Une bonne gueule. Il me présenta sa femme, Rosette, une petite brune, avec la peau un peu laiteuse et des taches de rousseur, des yeux clairs, elle aurait été bien jolie si elle s'était arrangée... Quant à Émile, il était repris par la course. Il s'y débrouillait comme un poisson dans l'eau. Moi je n'y ai jamais rien pigé, à tout ce mélange de sprints, de primes, de réclames pour les Cachous Lajaunie, les bas de soie Étam, le vin de Frileuse, et les cris des annonceurs, et les maillots bariolés, les grands chiffres affichés au tableau noir... Il était de ceux qui jettent de rage ou d'enthousiasme leur casquette sur la piste quand ce ne sont pas leurs clefs (on se demande comment ils font pour rentrer chez eux, après, ceux-là).

Et puis, ça a été comme un fait exprès : je le rencontrais partout, Émile. Une fois dans le métro, une autre fois Porte Maillot à un départ du Tour de France, est-ce que je sais ? Parce que, pour un mordu du vélo, c'était un mordu du vélo. Partout où ça pédalait, on pouvait être assuré de le voir s'amener, et jamais lassé du spectacle. Il me reconnaissait : « Salut, Monsieur Julep. » Je lui avais bien dit de m'appeler Vandermeulen, mais rien n'y faisait.

Alors, on causait… Il travaillait chez Caudron, en ce temps-là. Monteur-ajusteur. Il gagnait bien sa vie. C'est-à-dire qu'il appelait ça bien gagner sa vie. Un excellent ouvrier. Pour l'énergie, il n'avait pas son pareil : à la sortie du boulot, il enfourchait sa bécane et il filait à l'autre bout de Paris, dans la zone des Lilas, où, par je ne sais quelle combinaison, il avait un de ces petits jardins à vous fendre l'âme où il cultivait des légumes, des fleurs et des boules de verre pour éloigner les oiseaux. Il prétendait que ça le reposait de bêcher. Le dimanche, alors, il était tout à la Petite Reine : il filait avec Madame, à des soixante, soixante-dix kilomètres de Paris, sous le prétexte de pique-niquer, ou de retrouver une guinguette où ils avaient cassé la croûte avant d'être en ménage.

Mme Dorin était enceinte quand Yvonne eut

l'idée de me mener un soir chez son frère. Il
me fallait à tout prix interviewer l'homme de la
rue pour je ne sais plus quoi, pour un hebdo-
madaire illustré, et j'avais eu des réponses si
idiotes des trois ou quatre lascars honnête-
ment interpellés rue Picpus, boulevard des Italiens ou place Maubert, que je désespérais.
Bon. Yvonne, le photographe, un nommé Protopopoff, je me souviens, un fils de général,
bien entendu, et moi, on s'amène tous les trois
en chœur avec l'appareil, le magnésium, à
Boulogne-Billancourt, dans le petit logement.
Il y avait là Émile, Rosette déjà bien ronde, une
sœur à elle et son mari, un grand blond, appro-
chant la trentaine, qui était chez Renault
comme sa femme, d'ailleurs, une sorte de for-
geron de ch'Nord, avec un cuir, plutôt taci-
turne. Ça, Émile a été parfait. Je ne me
souviens pas de quoi il s'agissait, ni de ce qu'il
m'a répondu, mais parfait. On a pris un verre.
Je me suis engueulé avec le beau-frère, en pas-
sant, parce que c'était évidemment un communiste, et qu'on s'est accroché sur deux ou trois
choses, bien entendu. Émile me confia qu'il
achetait à tempérament un tandem, pour sa
femme et lui, quand l'enfant serait né.

C'est en tandem que je les ai revus, au printemps suivant, du côté de Champagne-sur-
Seine, par un soleil de plomb. «Ah! Monsieur
Julep!» Émile m'a expliqué les caractéris-
tiques de son nouveau cheval-deux-places, et
les changements de vitesse et ci et ça… Je lui
ai poliment demandé des nouvelles du beau-

frère; on était dans une période agitée, après février 1934. Mais Émile évita de parler politique, il était bien trop occupé de son tandem.

Je l'ai encore rencontré à Montlhéry, pour des courses derrière moto. Mais ça, il trouvait que c'était du chiqué. Pas sérieux. Il aurait voulu suivre Paris-Nice, pas moyen avec le travail à l'usine, ça devait être en 35. Puis encore sur les routes, sur son tandem maintenant le couple véhiculait leur mioche, un garçon qui ressemblait à Émile que c'était un beurre, dans un petit panier ficelé au guidon.

Puis il y a eu un deuxième gosse, une fille, c'était en 36, au moment des grèves. J'avais aperçu Émile à une de ces incroyables séances-concerts en pleine usine occupée, où les vedettes venaient chanter pour les grévistes. Il avait l'air de s'amuser sans malice. «Comment, Émile, vous voilà en grève, maintenant? — Oh! bien, Monsieur Julep, on fait comme tout le monde. On ne peut pas trahir les copains.» Ça devait être l'influence du beau-frère.

Je l'ai encore rencontré au Vél' d'Hiv'. Je suis tombé dessus au Salon de l'Auto. Je l'ai aperçu de loin à Clichy pour un Paris-Roubaix quelconque, et on s'est fait des signes. Puis c'est au circuit organisé par mon canard, on m'avait bombardé commissaire et au départ je me démenais avec un brassard tricolore et un tas d'insignes au revers, que je me suis entendu héler: «Eh! Monsieur Julep.»

Émile et sa femme, tous les deux toujours

les mêmes, Rosette un peu fatiguée. Ils avaient
décidé d'adopter un enfant espagnol, était-ce
qu'on allait avoir le droit d'en avoir à Paris...
«Qu'est-ce que vous allez vous mettre un
enfant étranger sur les bras, vous n'êtes pas
dingo?» Elle sourit et dit: «Quand il y a pour
deux il y a pour trois...» Cette fois, ça devait
bien être le beau-frère qui leur avait mis ça
dans la tête. Qu'est-ce qu'il devenait, celui-là?
«Ça fait un bout de temps qu'on ne l'a pas
vu... — Tiens, tiens, brouillés? — Oh! non, il
est en Espagne... il se bat contre Hitler...» Il
prononçait *il est h-en Espagne* sans faire la
liaison, tout juste comme M. de Montherlant
que j'avais interviewé la veille, sur les demoiselles qui le poursuivent de leurs assiduités,
disait aristocratiquement: «Comment h-allez-
vous?» D'ailleurs, on n'a pas autorisé les Parisiens à prendre des petits Espagnols. J'en ai
reparlé à Émile, par la suite, dans l'autobus de
Vincennes. Il a hoché la tête: «On l'aurait
bien fait... Ils se sont fait crever pour nous...»
La propagande prend sur ces gens-là.

J'avais été encore une fois, à bout d'idées,
refaire le film de l'homme de la rue au moment
de Munich, et naturellement, j'ai pensé à
Émile. Mais, cette fois, on m'a coupé Émile,
ce qu'il m'avait dit était imbuvable, il faut
l'avouer. Et encore, j'avais adouci... Aussi n'ai-
je guère repensé à lui jusqu'à la mobilisation.
Mais là, dans un bled perdu, du côté de Metz,
en soutien de la ligne Maginot, j'étais lieutenant dans un régiment d'infanterie, un jour à

la popote la radio jouait, Chevalier s'est mis à chanter *Mimile*. Et moi, on est bien bête, je ne pouvais pas m'empêcher de revoir la bonne gueule d'Émile, ses cheveux raides, son nez en l'air. Où était-il, Émile, à cette heure ? Et le beau-frère, le communiste ? Il devait se trouver dans de beaux draps, retour d'Espagne, celui-là... Les occasions de se rencontrer se faisaient rares. Plus de courses cyclistes, plus d'homme de la rue à interviewer sur le voyage du roi d'Angleterre ou la vague du black-bottom.

Pourtant, je devais le revoir en pleine guerre, Émile, en pleine bagarre. Dans le cœur de cette dégueulasserie. Après que nous avions tenu sur l'Aisne et sur l'Oise, partout lâché pied, la rage au ventre, par ordre. Ça devait être le 12 ou le 13 juin. Je reverrai toujours ça. Un patelin de Normandie, dans l'Eure. Avec un château Louis XIV à pièce d'eau, arbres taillés en avenues noires et silencieuses, de grandes statues mythologiques aux pilastres de l'entrée. Une place sillonnée de convois incessants vers l'arrière, les tristes inscriptions sur la porte de l'église : *Georgette Durand a passé ici... Pour Maman, on s'en va sur Angers...*, et nous là-dedans mêlés avec des dragons et leurs chars, les blessés qu'on rapporte, les Boches devaient être à un kilomètre, quinze cents mètres au mieux sur la route d'Évreux. Combien de temps tiendrait-on ? Dans une rue en face du couvent, l'école des Sœurs était occupée par les toubibs, l'infirmerie, et nous

devions déjeuner avec eux, parce que la
popote… eh bien! il n'y avait plus de popote. Il
faisait chaud, lourd, un ciel de plomb, retrou-
vant brusquement par grandes éclaircies ses
couleurs de juin, pour repiquer tout de suite
une mine sombre. Sous les petits arbres de la
cour, une longue table de bois. On mangeait
tous ensemble, les médecins, quelques officiers
et dans un coin des sous-offs, de simples infir-
miers et ceux des blessés, sans distinction de
grade, qui pouvaient s'asseoir, et qui atten-
daient que l'auto-ambulance vînt les chercher.
Une petite Sœur en laine blanche, avec sa cor-
nette disproportionnée, virevoltait au milieu
de nous, apportant des assiettes, aidant les
cuistots, avec toutes sortes de saluts aux officiers, sa robe qu'elle ramenait à deux mains
pour sauter par-dessus des armes jetées en tas
dans un coin de façon inattendue.

L'artillerie allemande tirait par-dessus nous.
Ils devaient bombarder la route, à la sortie.

Là, il y avait un soldat, ce devait être un soldat? le torse nu, le bras gauche et l'épaule pris
dans un plâtre de fortune, avec une écharpe de
gaze, pas rasé de trois jours. Quand il me dit:
«Monsieur Julep», j'eus un drôle de sursaut.
J'étais le lieutenant Vandermeulen maintenant; qui pouvait bien? «Vous ne me recon-
naissez pas?… Dorin, le frère d'Yvonne…»
C'était Émile, ah! par exemple. Il me raconta
qu'il était dans un groupe franc de la division
de cavalerie; après Dunkerque, on ne leur avait
pas rendu assez de chars parce que d'abord il

conduisait un Hotchkiss... «Ça ne vaut pas la Petite Reine, hein, Émile?» Il sourit assez pâlement. Ça devait lui faire mal, son épaule. De temps à autre, il y portait machinalement sa main droite, touchant le plâtre. Enfin, il venait des abords de Rambouillet. Ils avaient défendu Rambouillet, le groupe franc, avec des mitrailleuses, la route... après le départ de l'armée... «Ça faisait drôle... Rambouillet... On pédalait par là souvent, nous deux Rosette...» Il ne savait pas ce qu'il était advenu de Rosette et des enfants, peut-être bien qu'ils étaient toujours à Paname, avec les Boches qui arrivaient... ou pis, qu'ils étaient partis sur les routes comme... Un obus péta, pas très loin. Je n'écoutai pas la suite, le médecin-capitaine m'appelait. Il y avait une conversation générale. Des bruits couraient. Les Américains allaient se mettre de la partie, les Russes avaient attaqué les Boches, et puis à Paris il y avait le communisme... On répétait tout ça sans rien y croire et on se regardait les uns les autres pour voir ce que les autres en pensaient. C'était le premier jour où nous avions comme ça sur nous la lumière de la défaite. On avait du bon vin ramassé dans une cave, on n'allait pas le laisser aux Fritz qui ne savent pas boire. «Qu'est-ce que vous voulez que les ouvriers y comprennent à Paris? dit le médecin-capitaine, un gros assez jeune avec une moustache en brosse. Imaginez que Thorez arrive avec l'armée allemande...»

C'est à ce moment qu'Émile éleva la voix.

Pas très fort. Avec une espèce de réserve. Mais avec décision.

«Quand j'étais à l'entrée de Rambouillet, dit-il, là, vous savez, devant le château du Président, Monsieur Julep... nous avions les mitrailleuses et nos flingues braqués sur la route... Les Boches n'arrivaient pas encore... mais il y avait des Parisiens qui rappliquaient sans arrêt... avec des choses pas croyables, des vieux..., et puis il y eut des groupes d'ouvriers, une usine d'un coup... ça se reconnaissait... Ils nous parlaient au passage. Ceux de chez Salmson... et puis Citron... et là, qui est-ce que je vois? Mon beau-frère et ma belle-sœur, songez donc... Ah! pour un coup... Alors ils nous ont raconté... À l'usine, et chez Renault pareil, quand ils ont su que les Boches allaient entrer dans Paris, ils voulaient tout briser, les machines, brûler les bicoques... Ah! ouitche... On leur a envoyé les gardes mobiles, qui ont menacé de tirer sur eux... Ils n'y comprenaient plus rien, vous pouvez dire... Préserver les machines pour les Boches, vous imaginez? On ne comprend plus rien à rien...»

Comme tous, je me retournai pour regarder Émile : il avait de grosses larmes dans les yeux.

Cette fois, quand l'auto-ambulance l'a emporté, je me demandais si je le reverrais jamais. Et puis c'est Yvonne que j'ai retrouvée, avec ses beaux yeux bleus, sténo dans un journal replié à Marseille. Il avait coulé de l'eau sous les ponts. Par la fenêtre, on entendait des gosses qui chantaient : «Maréchal...

nous voilà!», il y avait des jeunes gens impor-
tants habillés dans des genres d'uniformes **qui**
paradaient sur le trottoir. La zone libre était
en pleine illusion. «Émile? me dit-elle. Il est
rentré à Paris, puis il a dû filer. Il y avait du
sabotage à l'usine... — Oh! ça, m'écriai-je, je
suis bien sûr qu'Émile n'est pas un saboteur!»
Il me parut qu'Yvonne me regardait drôlement de ses yeux bleus. Une sensation comme
ça. Elle ressemblait de plus en plus à son
frère. Je me demande pourquoi elle ne s'est
jamais mariée.

Vers la Noël, je suis remonté à Lyon. Le
patron multipliait les éditions du canard. C'est
sur le quai de Perrache, un soir, comme je
prenais le train pour la Camargue où on
m'envoyait enquêter sur le retour à la terre,
qu'un type pressé me heurta et dit: «Pourriez
pas faire attention? Tiens... Monsieur Julep.»
Encore mon Émile. Son épaule et son bras?
Tout à fait remis. Les gosses chez les grands-
parents... «Et Rosette? — Oh! elle travaille...»
Comment? Elle avait laissé ses enfants? «Bien,
vous qui vouliez adopter un petit Espagnol.»
Le même regard bizarre qu'avait eu Yvonne:
«Dans des moments comme ceux-ci, dit Émile,
on n'a pas le temps de s'occuper de ses
mioches à soi...» Il ne s'expliquait pas trop sur
ce qu'il faisait. Je lui demandai des nouvelles
du beau-frère. Il me répondit d'une façon éva-
sive. Son train partait.

On peut dire que c'est dans l'été 41 que les
idées des gens changèrent. Pourquoi, je ne

sais pas. Les Allemands étaient devant Moscou, mais ils ne l'avaient pas pris. Dans les trains, les langues commençaient à se délier. Tout le monde ne pensait pas comme on le croyait. Quelque part, du côté de Tarbes, dans un de ces couloirs bondés, entre des valises et des gens qui vont tout le temps aux cabinets, il se disait des choses à faire frémir et rire à la fois. Ce fut à la voix d'Émile que je le reconnus. « Attendez un peu, disait-il, vous verrez ce qu'ils vont leur mettre. » Quelle flamme il avait dans les yeux. Je retrouvais mon Émile du Vél' d'Hiv', l'Émile qui jetait sa casquette aux coureurs, mais il ne parlait plus de vélo, maintenant, il parlait des Russes. « Vous ne m'avez pas dit, l'autre fois, ce qu'il était devenu, votre beau-frère ? » Soudain, il passa une espèce de brume sur son visage, Émile releva d'un coup de main ses mèches raides retombées sur son front. Il se pencha vers moi. Je me mépris à son expression : « Vous êtes fâchés ensemble ? » Il haussa les épaules. « Les Boches... dit-il à mi-voix. Quand ils l'ont eu abattu avec leurs mitraillettes... ils ont marché dessus... Ils lui ont écrasé la figure à coups de talon... Défoncé le crâne... » Je m'y attendais si peu. Le beau-frère. Le communiste. « Qu'est-ce qu'il avait fait ? », dis-je bêtement. Il haussa les épaules. Ce n'était guère un endroit pour parler de ça... Enfin, dans l'usine où il avait repris du travail par ordre de son parti, les ouvriers s'étaient mis en grève... Dans la cour, on avait voulu en fusiller dix, les autres s'étaient jetés contre les Boches pour les leur arracher... Oui, comme ça, sans armes... le beau-frère en tête... Alors ils l'ont piétiné...

Quand Émile disait *piétiné*, il me semblait voir la scène, il y avait dans sa voix assourdie une danse sauvage de soudards verts, un déchaînement de brutes casquées... Je voulus dire quelque chose : « C'est terrible... aussi est-ce raisonnable de faire grève ? » Émile d'abord ne répondit pas. Puis il me regarda bien : « Monsieur Julep, dit-il, on est pas des Boches... Raisonnable ? S'agit pas d'être raisonnable... Faut chasser les Boches... Vous vous souvenez de 36 ? Alors, vous m'avez demandé pourquoi je faisais grève... Eh bien ! aujourd'hui non plus on ne peut pas trahir les copains... Et quand un tombe, il faut qu'il y en ait dix autres qui se lèvent. » C'était un énorme feldwebel qui passait entre nous, sentant cette odeur particulière de la soldatesque allemande, avec un de ces visages sans expression dont ils ont le secret. « Ils sont bien habillés », dit Émile, et il parla d'autre chose.

Je ne l'ai pas revu de tout 1942. Les choses prenaient un drôle de tour. On ne rencontrait plus de gens pour défendre Vichy. Le métier était devenu impossible. Les journaux se faisaient avec le pot de colle, et les communiqués de l'O.F.I. On essayait bien de temps en temps de glisser un mot par-ci par-là, mais qu'est-ce qu'il pouvait y avoir comme vaches à la censure. Heureusement que c'étaient souvent

des zigotos d'intelligence moyenne. Avec novembre, l'entrée des Américains à Alger, l'occupation de la zone zud par les Allemands,
ceux qui avaient encore des doutes devaient
être bouchés à l'émeri. Le canard se saborda.
Le patron a été très chic, il nous a payés
quelque temps comme si de rien n'était. Au
fond, pour la première fois de ma vie, je pouvais voir venir. On m'avait fait des ouvertures
de plusieurs côtés, de la part de la Résistance.
Je me tâtais encore… Il y eut cette nuit où Hitler, en détruisant l'armée, porta le coup mortel à Vichy…

Finalement, j'acceptai de faire des papiers-
magazines qu'on me prenait encore dans les
journaux où il y avait des camarades. Évidemment, ce n'était pas drôle de voir ce qui s'écri-
vait à côté. Mais je ne traînais là-dedans ni le
nom de Vandermeulen, ni la signature de
Julep. Avec le prix de la vie. Sans manger tout
à fait au marché noir… mais dès qu'on prend
un supplément dans les restaurants, les prix
que ça cherche. Et puisque je ne faisais moi-
même ni des salades sur la Relève, ni des sala-
malecs aux doryphores…

Quand j'ai su qu'on avait arrêté Yvonne, ça
m'a fait de là peine. La pauvre fille. Elle était
à la prison de Montluc d'abord. Il paraît que
c'est très moche et puis surpeuplé. Qu'est-ce
qu'elle avait bien pu faire ? Ah ! ces centaines
de milliers de gens dans les prisons et dans les
camps, est-ce qu'on peut savoir ce qu'ils ont
fait, tous ? Yvonne était une fille vaillante, tou-

jours de bonne humeur même quand on avait un coup de chien. Il fallait seulement avec elle surveiller l'orthographe des noms propres...

Je ne suis pas très sûr, quand je l'ai aperçu à Nice, qu'Émile m'avait vu. Pourtant il m'avait fait l'effet de faire celui qui ne m'avait pas vu. J'avais envie de lui courir après, surtout pour lui demander des nouvelles d'Yvonne, et puis... Oh! ce n'était pas la peur d'être indiscret. Émile aime bien, au fond, rencontrer ce vieux Julep... Non, mais je n'étais pas seul; vous me comprenez. Enfin, il était toujours vivant.

J'ai pendant quelque temps caché chez moi un confrère, un Juif, qui était traqué, sans avoir rien fait pour cela, que d'être juif. Il lui fallait des papiers. J'en ai bien demandé à ceux que je savais de la Résistance... Mais après tout, je le cachais déjà chez moi. On se sent gêné, à la fin, de ne rien faire. L'arrestation d'Yvonne m'avait fait un drôle d'effet.

Toujours est-il que mon hôte s'était débrouillé, il avait soi-disant trouvé des gens qui faisaient très bien les fausses cartes, à un prix respectable, et il devait partir pour une planque à la campagne quand, un matin, on frappe à la porte : toute une compagnie, un commissaire de police français, ses bonshommes, et deux types de la Gestapo. Je n'aime pas beaucoup raconter cette histoire, les détails, ça n'a rien à faire ici. Ils nous ont battus. Moi, les Français m'ont gardé. Le pauvre type, personne ne sait ce qu'il est devenu. Il devait être dans ce wagon à bestiaux en partance pour l'Allemagne qu'ils ont oublié sur une voie de garage à la sortie des Brotteaux, les portes cadenassées, et où tout bruit a cessé au bout de cinq à six jours. Je m'en suis tiré : six mois de taule, pour non-déclaration de locataire.

C'est dans la cour de la prison, cette fois, que j'avais revu Émile. Pendant la promenade. Vous parlez de promenade. Un puits entre les murs hauts et noirs, et on tourne en rond les uns derrière les autres, pas le droit de se parler, à bonne distance, ça va chercher dans les dix mètres sur huit... Il était derrière moi, je ne l'avais pas vu. J'entends tout à coup murmurer : «Eh! Monsieur Julep... Monsieur Julep», pas possible de s'y tromper : c'était Émile. On n'a pas pu se dire grand-chose. Un tour de cour entre question et réponse. Des nouvelles d'Yvonne? «Elle est dans un camp. Pas trop mal... — Et Rosette?» La réponse ne vint pas tout de suite. Nous tournions. Le gardien regardait de notre côté. Enfin, la voix, un peu changée : «En Silésie... depuis janvier... pas de nouvelles...»

Ça m'avait donné un coup. Dans ma cellule, je pensais tout le temps à Rosette. En Silésie. Où ça? Dans les mines de sel, qui sait? Cette gosse. Je la revoyais encore comme la première fois, au Vél' d'Hiv', une petite fille... Le beau-frère, Yvonne, Rosette... Ah! c'était une famille éprouvée, qui ne s'était pas ménagée. Ils n'avaient rien à gagner. J'avais avec moi un type du marché noir et un petit voleur à la tire, qui me regardaient de travers parce que j'étais un *politique* : un comble, vraiment, moi un politique...

Une autre fois, à la corvée de tinette. J'étais dans le couloir. Voilà Émile qui passe à côté de moi. Il me souffle : « Comment c'est votre nom, Monsieur Julep ? » Drôle d'idée de me demander ça : j'ai tout juste pu lui répondre. Quand je l'ai revu à la promenade, à ma question : « Qu'est-ce qu'elle avait fait, Rosette ? », il m'a répondu : « Rien, son devoir... »

Le type du marché noir disait qu'on était mal traité, parce que, dans cette prison, il y avait un tas de communistes, que ça rejaillissait sur les autres. Et il louchait sur moi. Je lui expliquai que je n'étais pas du tout communiste, même pas gaulliste... « Vous êtes pourtant un politique, dit cet homme, alors il faut choisir... »

Voilà qu'un soir, il y a un drôle de boucan dans la turne. On entendait les portes claquer, des va-et-vient. Nous trois, on se regardait, vaguement inquiets. Qu'est-ce que c'était encore ? Puis des pas dans le couloir, la clef dans la serrure. On était déjà dans le noir. La porte s'ouvre, la lampe du gardien, un autre gardien avec lui, et derrière trois prisonniers qui avaient l'air de leur donner des ordres. La voix d'Émile : « Celui-là, dans le fond... Vandermeulen... » Et le gardien : « Vandermeulen, avancez. » Qu'est-ce que c'était ? une révolte ? Émile expliqua : « Une évasion collective... »

Mes compagnons exultaient, mais ils les repoussèrent dans la cellule : rien que les politiques... Ça, ils râlaient.

Je n'ai jamais rien vu de si bien organisé. Le directeur de la prison comme un petit garçon, plusieurs gardiens passés du côté des prisonniers, les autres ficelés. C'étaient les révoltés qui faisaient la police. Ils avaient les listes avec le directeur. Émile disait : « On ne fait sortir que les patriotes... » Il me comptait parmi les patriotes. Je ne peux pas dire, je me sentais fier.

Je ne vais pas raconter la suite, le camion la nuit, ce terrible accident sous le pont du chemin de fer, puis l'arrivée dans un village de montagne, les braves gens qui nous ont cachés, les vêtements apportés, cette extraordinaire gentillesse de tout le monde. Tout de même, je n'avais jamais cru qu'il y avait tant de dévouement dans le pays, tant de braves gens... Je ne peux trouver d'autres mots... de braves gens... Émile n'était plus avec nous. On nous avait dispersés par petits groupes. Avec moi, il y avait un avocat de Clermont, deux gaullistes dont je connaissais l'un, un confrère, et un paysan de la Drôme. On s'était évadé à quatre-vingts, pensez donc.

Voilà que je ne m'appelle plus Vandermeulen, ni même Julep. J'ai des papiers au nom de Jacques Denis. Des bons papiers, bien faits, autre chose que ce que les margoulins avaient vendu à ce pauvre bougre de Juif que j'avais hébergé. Mes compagnons m'ont demandé si j'avais où aller. D'abord, j'ai dit non. Puis, quand ils m'ont dit : «Alors, viens avec nous», j'ai interrogé : où ça ? Eh bien ! dans le maquis... J'avoue que ça ne m'a pas souri. L'été encore, mais l'été était bien avancé. Le maquis. Je ne me vois pas du tout dans le maquis.

Avec ce que m'ont procuré les gens du village, j'ai pu aller jusqu'à M... où mes amis Y..., je ne vais pas les compromettre, ont un joli petit château. Ils me donneraient le temps de me retourner. Ils n'ont pas eu l'air très contents de me voir. Mais enfin ils ont été corrects. Paul Y... n'en revenait pas ; il me posait un tas de questions. Ce qui l'inquiétait, c'était le village où on nous avait si bien reçus : «Alors, disait-il, dans ce petit patelin, en pleine montagne, ils sont tous communistes, maintenant ?» Pourquoi communistes ? Jamais de la vie. Des braves gens, quoi. Ils ont un Comité de Front National... Ça ne rassurait pas Paul Y... «C'est effrayant, disait-il, le progrès que cela fait...» Je n'ai rien dit, mais je me suis promis de ne pas traîner chez lui. Ce qui l'effraye, celui-là, ce ne sont pas les Boches qu'on voit de ses fenêtres passer sur la route avec des auto-mitrailleuses, allant pourchasser les réfractaires sur le plateau de L..., où on dit qu'il y en a. Non.

De fil en aiguille, j'ai fait une descente en ville. Des amis m'ont aidé, et puis j'ai retrouvé Protopopoff, parfaitement Protopopoff, le fils du général, le photographe de chez nous avec qui j'avais été jadis chez Émile. Imaginez-vous

qu'il est déchaîné, déchaîné. Il n'en a que
pour Staline. Il dit que son père était un idiot
qui ne comprenait rien à rien, que lui, il se
considérait comme un malheureux de ne pas
être en Russie, dans l'armée rouge, à se battre
pour sa patrie. Toujours est-il que je ne sais
pas ce qu'il trafique, mais il est à un grand
hebdo illustré, et il m'a arrangé de faire des
papiers à la pige, des légendes pour ses pho-
tos, avec le rédacteur en chef qui est très bien,
paraît-il. Je n'ai pas besoin de paraître, je
signe Odette de Luçon. Personne ne va penser
que c'est Julep, avec un nom comme ça. Je
fais ma matérielle.

C'est un petit bourg, là où j'habite. D'abord
je ne parlais à personne. Puis, enfin, je vois
souvent le curé. Un exalté, ce curé. Il a des
conciliabules avec des types à l'allure militaire. Il a organisé un ouvroir où des femmes
du pays, des petites-bourgeoises, même des
ouvrières (nous avons une petite usine de
limonade), travaillent on ne dit pas pour quoi,
mais ça se comprend. Si on avait dit ça en
1940. C'est tout le pays qui est comme ça
maintenant. Je vais écouter la radio chez le
boucher. Un drôle aussi, celui-là. Il donne de
la viande à toute sorte de réfugiés bizarres,
qui n'ont pas de cartes. On sait que le médecin
soigne les gens du maquis, pas très loin. Il y a
eu un blessé l'autre jour. Le bourg a l'air bien
calme, mais quand on y regarde de près...
Chez le boucher, il vient de temps en temps
des gens qui ressemblent à ceux que le curé

reçoit en grand secret. Ils parlent tous plus ou moins comme Émile. Ce qu'ils sont, je n'en sais rien. On discute de la guerre qui ne va pas vite en Italie, on a des tuyaux sur ce qui se passe à Vichy, on pousse les petites épingles sur la carte du front russe.

Dans la ville voisine, pour l'anniversaire de Valmy, le 20 septembre, il y a eu une grève. Les Boches ont pris trois cents ouvriers, et ils les ont emmenés on ne sait où. Le curé cache un gréviste qui leur a glissé entre les doigts. On va le placer dans une ferme. Il dit qu'il aimerait mieux passer chez les francs-tireurs. C'est extraordinaire, ils sont enragés, ces gens-là. On est fier d'être Français.

Il n'y a guère qu'une ombre au tableau dans le bourg. Un bonhomme qui habite à la sortie, cette maison jaune. Paraît que quand les Allemands ont passé par ici, en 40, il les a reçus à bras ouverts, il les a conduits dans la campagne pour le ravitaillement, il buvait avec eux... Enfin, on ne l'aime pas. Surtout que son petit neveu qui a sept ans, jouant avec le fils du boucher, a dit : « Moi, quand je serai grand, je serai comme mon oncle, milicien... Je gagnerai comme lui cent cinquante francs par jour à ne rien faire... » On en parle. Il n'est probablement pas le seul. Pour les autres seulement, on n'est pas sûr. Lui, de temps en temps, il reçoit par la poste un petit cercueil, et tout le monde en rit sous cape.

Protopopoff et moi, on a été faire un reportage dans un camp de Compagnons, pas loin

de Grenoble. Il faisait déjà chaud. Quatre
heures de car. Un endroit très beau. Les arbres
roux... La description importe peu. Enfin, pendant que les chefs faisaient parader leurs
troupes, et défilé et redéfilé, le cantonnement,
tout ce qu'on a vu cent fois, je dois dire, voici
que deux camions se présentent à l'entrée du
camp, et il descend en bon ordre des types
armés qui nous couchent en joue. Une vingtaine, et on était bien cent cinquante. Mais
sans armes. Les chefs faisaient une drôle de
tête. Les Compagnons se sont assez facilement
laissé persuader de donner leurs vêtements,
leurs souliers, tout le matériel. Protopopoff et
moi, on ne nous a pas touchés. C'étaient des
jeunes gens avec des blousons, des gros souliers, des culottes et des bandes molletières, un
certain disparate, que le béret uniformisait un
peu. Naturellement, quand un de ceux qui les
dirigeaient m'a dit : « Eh bien ! qu'est-ce que
vous faites ici, Monsieur Julep ? », j'ai sursauté.
Encore Émile. Il sera dit. Le voilà franc-tireur
maintenant. Il a tenu à emporter une bicyclette
qu'avaient les Compagnons. Il fallait le voir, la
détaillant, son air satisfait : « Allez, embarquez-
moi ça. » On ne l'avait pas changé, Émile. Ils
sont partis comme ils étaient venus.

De retour chez moi, j'avais la langue qui me
démangeait de raconter ça au curé. C'est singulier comme la perspective morale varie...
Il n'y a pas si longtemps, j'aurais considéré
Émile comme un bandit. Aujourd'hui, et ce
n'est pas à force de réfléchir, c'est tout simple,

les choses ont changé de sens, de signification.
Pas seulement pour moi. Le boucher, par
exemple. Le curé. Et presque tous ici, ces gens
qui ont travaillé toute leur vie, dans le respect
des lois, saluant le maire. Petitement. Ceux
qui allaient à la messe, ceux qui bouffaient
gras le Vendredi saint. Le patron de la limonaderie qui a ses deux fils en Allemagne,
parce qu'on n'était pas encore organisé quand
ils sont partis, tout au début, et qui fait de son
mieux pour empêcher ses ouvriers d'y partir.
Les dames du notaire et du médecin. J'ai
raconté au boucher l'histoire du beau-frère
d'Émile, celui qu'ils ont piétiné. Il m'a dit :
«Dites donc, le maréchal Tito... Est-ce que
c'est vrai ce qu'on dit, qu'il est communiste?»
Ça le chiffonne. Je ne peux évidemment pas
lui dire que moi, quand j'ai filé de prison, je
n'ai pas demandé qui me faisait évader.

C'est très peu après le 11 novembre qu'ils
ont cerné la bourgade. Les Boches. Le matin
de bonne heure, il faisait encore nuit. À ce
qu'on raconte, ils ont été à la mairie, et on les
aurait vus aussi, avant tout le reste, frappant à
la porte de la maison jaune, et le milicien les
a accompagnés à la mairie. Moi j'ai eu la
chance qu'ils ne soient pas entrés dans la maison où j'ai une chambre, chez une des demoiselles des Postes. En fait, qu'est-ce que je
risquais? Mes papiers en règle... Ils ont
emmené vingt jeunes gens et il y en a un de
dix-neuf ans, qui a essayé de s'enfuir, ils l'ont
abattu, derrière l'église. Le plus terrible aussi,

c'est comme ils ont arrêté le curé, le pauvre vieux curé... On dit qu'ils l'ont jeté dehors, qu'ils le frappaient à coups de crosse, il est tombé plusieurs fois, il disait : « Notre Père qui êtes aux cieux, que votre nom soit sanctifié... que votre règne arrive... » Il paraît que le milicien était là quand ils l'ont mis dans le fourgon et qu'il lui a crié : « Adieu, sale communiste... » Voilà le curé maintenant qu'on appelle comme ça... Il y a une grande colère dans le patelin contre l'homme de la maison jaune. S'il lui arrivait malheur, ce ne serait pas moi qui pleurnicherais.

On dit, c'est-à-dire le boucher m'a dit que ça venait de ce qu'il y avait un camp dans les parages. Ils ont dû se déplacer en vitesse. C'était le curé qui les avait fait prévenir. Le médecin doit savoir où ils ont passé. En attendant, par ici, c'est infesté de mouchards. Il y a des motos qui circulent la nuit. Toute sorte de gens ont apparu à l'Hôtel des Voyageurs, au restaurant Bourillon. On en a surpris à écouter aux portes. La radio anglaise, qu'on faisait marcher à toutes pompes, maintenant on ne la prend plus qu'en sourdine. Il y a eu une dénonciation contre le médecin et sa femme. La Gestapo est venue, on ne les a pas emmenés cette fois-ci, mais ça donne l'impression que c'est pour voir qui ils fréquentent. À la ville, de temps en temps ça saute ; un café, la devanture de l'Office allemand, une grenade au Cinéma-Palace... Trois fois en huit jours, la voie de chemin de fer a été coupée.

Tout ça, pour moi, c'est bête, il me semble que c'est toujours Émile qui le fait. Est-ce que je le reverrai, Émile ? Et comment va sa sœur ? Maintenant que je vieillis un peu, je me dis que j'ai été un niais, j'aurais dû épouser Yvonne, c'est une brave petite Française, avec de beaux yeux. On aurait peut-être été heureux ensemble... Peut-être que je me suis trompé sur tout le sens de la vie. On ne peut pas revenir en arrière. N'avoir été qu'un égoïste...

C'est la terreur dans toute la région. Les Boches patrouillent. On s'attend à une descente à la limonaderie. Le mari de la femme de ménage a été désigné pour ce qu'ils ont le culot d'appeler la Relève. Il va se faire mettre la jambe dans le plâtre, et avec un certificat médical... Je trouve qu'il a tort. Il ferait mieux de prendre le maquis. Il vaut mieux être un soldat qu'un déserteur.

J'ai revu Émile. Mais en rêve. Dans une ville qui n'était ni Grenoble, ni Paris. Une grande avenue vide, triste, l'hiver. On ne voyait pas les Allemands. Ils étaient là pourtant, derrière les arbres dénudés, dans les chambranles noirs des portes... Je portais une petite valise et je me dépêchais. Je ne savais plus si c'était le train ou moi, qui avait quatre heures de retard. Tout d'un coup, des coups de feu, des hommes qui n'avaient rien fait qu'être là, tombaient... Tout cela et aussi cette histoire vague qu'on m'a racontée d'un homme arrêté sur lequel ils ont lâché leur chien, après l'avoir pendu par

les poignets… Tout cela… C'est alors qu'Émile
m'est apparu. Il était sur un vélo magnifique,
nickelé. Un vélo comme en ont, au music-hall,
les acrobates. Je savais que c'était celui qu'il
avait pris aux Compagnons. Il passa près de
moi, et dit : « Bonjour, Monsieur Julep… » Tout
d'un coup, je compris que, derrière moi, il se
passait quelque chose. C'était l'homme de la
maison jaune, le milicien. Il visait Émile. Je
voulus crier. La voix s'arrêta dans ma gorge.
Mais c'était Émile qui avait tiré et le milicien,
sur les pavés, saignait, saignait…

   Je me suis réveillé en sursaut, effrayé de
moi-même. Est-ce que je souhaitais vraiment
la mort d'un homme ? On dit que c'est lui qui a
dénoncé le curé, guidé le Boche vers le camp
des francs-tireurs… Peut-être bien que je me
suis trompé sur toutes les choses de la vie.
J'imagine Rosette, avec ses taches de rousseur,
dans ce bagne de Silésie. Comment sont deve-
nus ses mains, ses cheveux ? Voilà l'hiver. Elle
doit avoir froid, terriblement froid. Et cette
fatigue des journées. C'est insupportable à
penser. C'est tous les jours un peu plus insupportable à penser.

   J'ai été à la ville. Dans le car, il y avait
l'homme de la maison jaune. Bien habillé. Tout
insolemment neuf… Les souliers, le pardessus,
les gants en cuir clair. Le car était bondé. Si on
lui avait enfoncé un poignard dans le cœur, au
milicien, il serait resté debout, tenu par les
autres. C'est effrayant à songer, qu'il y a des
Français qui en livrent d'autres aux Boches. À

Grenoble, à Clermont-Ferrand, ils ont commencé à tuer ceux qu'ils appellent leurs
otages. Dans leur journal, il y a de grands placards : *Miliciens, marquez vos hommes...*

Je ne rencontre plus Émile, maintenant.
Mais, partout, je rencontre le milicien. Je ne
sais pas, auparavant on ne le voyait pas tant. Il a
été à Lyon dans le même train que moi. Je l'ai
trouvé chez l'horloger, quand je lui ai porté
mon réveil à réparer. Une fois dans la campagne... près de ce petit village qui a une
grande usine aux fenêtres bleues... Je faisais
une promenade hygiénique. Nous nous sommes
trouvés face à face. La plaine autour de nous.
Les champs déserts. Je n'avais pas d'arme,
voilà, je n'avais pas d'arme.

Le boucher a été prendre la garde sur la
voie ferrée, à quinze kilomètres d'ici. Il m'a
raconté que, maintenant, les Boches avaient,
pour les aider à faire les rondes, des Français
et des miliciens.

Si je savais où trouver Émile, j'irais lui
demander conseil. Tout se passe comme si
Émile jadis apparaissait dans ma vie pour
l'orienter. Est-ce qu'ils l'ont tué ? J'ai pas mal
voyagé. J'ai été à Toulouse, à Marseille. J'avais
le secret désir de revoir Émile. Est-ce qu'il
n'allait pas surgir sur un quai de la gare, dans
une rue déserte ? Personne.

Le maréchal Tito continue à tracasser le boucher. Il m'agace à la fin, le boucher. Qu'est-ce
que ça peut lui faire, au boucher, ce qu'il est,
Tito, puisqu'il se bat contre Hitler ? Comme je

pensais ça, j'ai eu une espèce de frisson, il m'a
semblé réentendre Émile disant : « Il est en h-
Espagne, il se bat contre Hitler... » Alors, j'étais
comme le boucher... même pire. Je ne comprenais pas ce qu'il voulait dire, se battre contre
Hitler, ce qui me frappait, c'était la prononcia-
tion d'Émile, pas ce qu'il disait.

Et cette Yvonne avec ses yeux bleus... Elle
est dans un camp... pas mal, somme toute...
pas mal... Nous sommes en décembre. Ce sera
bientôt Noël. Les gosses de Rosette auront-ils
un arbre de Noël, chez les grands-parents ?
Quel âge ont-ils ? Le garçon, l'aîné, doit avoir
ses dix ans... La petite, voyons, la petite est née
quand...

Cet hiver est terrible à supporter. Je n'écoute
plus la radio, c'est trop long, il n'y a pas assez
de changements. L'année dernière, il y a trois
mois encore, j'attendais ce débarquement. Il y
aura un débarquement un jour ou l'autre. Mais
ça ne me paraît plus l'essentiel. Est-ce que le
beau-frère, ou Yvonne ou Rosette, ont attendu
le débarquement ? Il faudra qu'on s'en mêle.
On ne peut pas laisser les choses continuer
comme ça, sans s'en mêler. Des armes, si on
avait des armes. Ce jour, sur la route, quand
j'ai vu venir l'homme de la maison jaune.
Ah !... des armes...

On m'apporte tous les matins *Le Petit Dauphinois*, et on le met derrière ma porte, c'est-à-
dire entre la porte ballante à toile métallique
qui nous préserve des mouches l'été, et la porte
fermée à clef. C'est ma logeuse qui le ramasse,

et qui me l'apporte avec le petit déjeuner. Ces temps-ci, il est devenu tout petit, trois fois par semaine, et puis quand il y a eu toutes ces histoires à Grenoble, plusieurs fois, il ne m'est pas arrivé. Ils ont tué deux journalistes, là-bas. Comme je n'écoute plus la radio, ou enfin plus régulièrement, le matin je retrouve quelque intérêt à cette feuille absurde, avec ses mensonges de Vichy. En avalant mon café national, voilà qu'un placard me saute aux yeux. Encore une fois, nom de nom... C'est un communiqué du commandant militaire allemand du Sud Frankreich... AVIS... Trois exécutions... Attaques à main armée contre la Wehrmacht ayant causé des pertes à la Wehrmacht... et ils entraînaient des réfractaires au maniement des armes contre la Wehrmacht... et quand la Wehrmacht les avait cernés, ils avaient résisté à la Wehrmacht. Trois *terroristes*, disaient-ils, ces messieurs de la Wehrmacht. Trois terroristes dont ils donnaient les noms : l'un était étudiant, avec un nom plein de soleil, le second était aussi un étudiant, le troisième métallurgiste, Émile Dorin, de Paris...

Émile... Émile Dorin... de Paris...

Des armes... des armes, qu'on me donne des armes. J'étais lieutenant, Dieu du ciel, dans l'armée française. Je saurais entraîner les réfractaires au maniement des armes, moi aussi. Contre la Wehrmacht. Contre la Wehrmacht. Le médecin, ici, est en liaison avec le camp qui est revenu ces jours-ci, à cinq kilomètres du bourg, à ce qu'on prétend. Il pourra me dire...

Émile... Émile... Causer des pertes à la Wehrmacht... et à ces miliciens maudits... Je suis le
lieutenant Vandermeulen, pas ce mollasson de
Jacques Denis, pas cet égoïste de Julep. Émile...
Le lieutenant Vandermeulen se moque pas mal
de qui sont les francs-tireurs qu'il va rejoindre,
aujourd'hui ou demain dans les collines, où
bientôt tombera la neige.

Un maréchal Tito quelconque, qu'il croie à
Dieu ou au diable, mais qu'il se batte contre
Hitler, contre Hitler, c'est tout...

Mon cher Émile... Aujourd'hui même. Je t'ai
rencontré pour toujours, Émile.

Aujourd'hui, le lieutenant Pierre Vandermeulen recommence sa vie. On ne peut pas trahir
les copains.

Et quand il y en a un de tombé, il faut que
dix autres se lèvent.

Le collaborateur

La porte du magasin se referma. À travers la vitre, M. Grégoire Picot regarda s'éloigner le client qui venait de sortir, un petit homme brun, courbé, à lunettes :

« Ça ne doit pas être un Français, dit-il, avec ce pli de désapprobation rien que d'un côté que Mme Picot redoutait si fort, quand il l'avait devant la soupe.

— Tu crois ? demanda-t-elle avec un ton d'angoisse. Un Juif, peut-être ? »

M. Picot haussa les épaules : Juif ou pas Juif, en tout cas, il écoutait la radio anglaise. Le poste qu'il avait laissé à réparer était là, au milieu des autres, un petit Lincoln qui s'était mis à grésiller lamentablement. Une connexion défectueuse. Ou une lampe, on verrait. Quand on aurait le temps, parce que, qu'est-ce qu'il y avait comme réparations qui s'entassaient, et tout le monde voulait un tour de faveur. Avec ça, plus de pièces de rechange.

« Moi, dit Mme Picot, je ne suis pas comme toi. Je ne suis pas pour la collaboration, mais ça me fait quelque chose quand un Juif entre chez nous... C'est tout de même eux qui nous ont valu la guerre... et qu'on a tué notre pauvre petit.

— D'abord, interrompit son mari, agacé, tu l'as déjà dit, et puis Pierre n'a pas été tué, tu le sais très bien... Il faut un peu de logique. Il y a des gens qui ne sont pas juifs et qui n'en valent pas mieux pour ça... »

Berthe Picot soupira : qui savait comment tout cela allait finir ! Avant, il y avait moins de travail, il fallait sourire aux clients, mais aussi les rassortiments étaient faciles, et puis on ne se préoccupait pas de savoir à qui on avait affaire. Grégoire disait bien que c'était ce qui nous avait menés là. Il était pour la collaboration, Grégoire ; dans le quartier, tous les gens étaient contre, et on parlait très mal des collaborateurs, cela effrayait un peu Mme Picot, qui se contentait d'être pour le gouvernement, mais pas pour la collaboration ; son mari avait beau dire qu'il faut de la logique... Mme Picot était une brave femme, mais elle avait peur des Juifs. Avec tout ce qu'on en dit ! Mme Delavignette, l'épicière, prétendait que c'étaient des menteries : il n'y a pas de fumée sans feu. Grégoire, lui, disait toujours qu'il n'était pas antisémite : eh bien ! pourtant, il en racontait sur les Juifs, des vertes et des pas mûres. C'est la preuve que ce n'est pas le parti pris. Une chanson emplit la boutique.

« Quel talent, cette Suzy Solidor ! » dit M. Picot qui avait du goût pour la musique, même que c'était pour cela qu'il s'était spécialisé dans la radio. Il avait tourné le commutateur du Telefunken de Mme Princeton. Quelle merveille, ces postes allemands! Il y a des gens, il suffit que quelque chose soit allemand, pour qu'ils le dénigrent.

«Moi, je sais reconnaître ce qui est», dit-il à voix haute, et Berthe crut qu'il s'agissait de Suzy Solidor.

Parce qu'elle-même, depuis le 11 novembre, elle n'aimait plus tant que Grégoire parlât bien des Allemands. Ce qui lui faisait hausser les épaules, à Grégoire :

«Il faut un peu de logique... Tant qu'ils n'occupaient que la zone occupée... alors ils étaient bons pour les autres, ils avaient toutes les qualités, mais maintenant que vous les avez, alors ça ne va plus... Il faut un peu de logique.»

C'était vrai que, dans le quartier, des tas de gens avaient varié d'opinion, depuis le 11 novembre. Grégoire Picot n'était pas comme ça, lui : il ne tournait pas sa veste toutes les cinq minutes. Une occupation, c'est une occupation, ça ne peut pas aller sans inconvénients, il fallait s'y attendre.

«Quand on voit les choses de près, disait Mme Picot, ce n'est tout de même pas la même chose!»

Son mari répondait que ça le faisait ricaner, des raisonnements à la gomme comme celui-là : alors, ce qu'on pense dépendrait du premier incident venu, vous parlez de convictions! Et puis, si dès que ça vous touche, ça change tout,

quelle valeur! C'était comme les gens qui lui
disaient qu'il aurait dû être contre les Allemands, à cause de son fils. D'abord, Pierrot
n'avait pas été tué par les Allemands. Et d'un.
Un de ces stupides accidents des routes de
l'exode, comme il se repliait avec sa batterie...
Ceux qui disaient que c'était du pareil au
même, parce que s'il n'y avait pas eu les Allemands, il n'y aurait pas eu l'exode, et tout ce
chambardement, ceux-là parlaient pour ne rien
dire. Enfantin. Et puis, si Pierrot avait été tué
par les Allemands, ça aurait été le même tabac.
Parce que ce n'est pas parce que c'est mon fils.
Parce qu'il faut avoir un peu de logique, tout
de même, tout de même. Si son fils avait été
tué par les Allemands, M. Grégoire Picot n'en
aurait pas moins été collaborateur. Parce que,
sans ça, cela aurait été le fils de quelqu'un
d'autre la prochaine fois. Parce qu'où serait le
mérite, si on était à l'abri des inconvénients de
ses opinions? Qu'on ne va pas dire qu'il fait
nuit en plein midi, parce que le soleil vous
dérange. Et ça va continuer longtemps, ces
vendettas? Je tue ton fils, tu tues son fils, il tue
notre fils... On se croirait à l'école! Eh bien,
tenez, j'accepte de penser que Pierre a été tué
par les Allemands... pour faire plaisir à
Berthe... parce que c'est étrange, mais ça lui
ferait plaisir... C'est inexact, mais je le pense.
Eh bien, ça ne modifie rien de ma vision du
monde...

Quand Grégoire parlait de sa vision du
monde, Berthe était tout simplement écrasée.

Elle savait que son mari aimait bien Pierrot. C'était la preuve... quelle preuve meilleure aurait-il pu donner de sa sincérité? Elle se tuait à le répéter à Mme Delavignette, à tout le monde, à M. Robert, aux vieilles demoiselles de la mercerie...

Bzz... brr... gr... Fchtt... badaboum... *tue les mouches... tue toutes les mouches...* Ah! cet enfant.

«Tu sais bien, Jacquot, qu'il ne faut pas toucher!»

Suzy Solidor avait glissé dans les mouches. M. Picot rétablit *Lily Marlène* et caressa la petite tête bouclée. C'était sa faiblesse, cet enfant, tout ce qui lui restait de Pierre. Abandonné par la mère, une pas grand-chose. Il ressemblait aux petits anges des images, vous savez ceux qui sont drôlement accoudés...

«Va avec ta grand-mère, mon amour. Grand-père a à travailler...»

Il le regarda s'éloigner avec sa femme, touchant à tout au passage, manquant de jeter par terre la boîte avec les lampes apportées le matin même par le représentant de Visseaux, tirant sur l'antenne déployée du poste portatif à peine réparé. Ce qu'il était mignon pour trois ans et demi... Il était né au début de la guerre. Il y avait du fading sur Radio-Paris. Cette Suzy Solidor, une Malouine: elle descendait d'un corsaire qui avait combattu les Anglais. C'était sur *Sept-Jours*. Qu'est-ce que j'ai fait du tournevis? Ah! le voilà.

C'est un métier propre, et M. Picot se félicitait sans cesse de l'avoir adopté, malgré les difficultés de l'heure. La cabine de réparations où il s'isolait du magasin, comme un cordonnier dans ses chaussures qui ne veut pas que les pratiques le dérangent, dès le printemps, tous les ans, il la déplaçait du fond où elle était en hiver, pour qu'elle fût ouverte du côté de la devanture, histoire de ne pas perdre un rayon de lumière. C'était agréable de travailler en musique. Aïe! Il s'était piqué à la main gauche. Qu'est-ce que j'ai? La vue baisse.

On était vendredi. Mme Picot avait failli oublier le confiseur. Et le petit qui avait ses bonbons à toucher. Elle reparut dans la boutique:

«J'avais oublié le confiseur... Je te laisse le petit ou je l'emmène?»

M. Picot n'avait pas compris. Il baissa le poste.

«Comment? Ah! oui. Laisse le petit, il ne me dérange pas.»

Évidemment, si le père de cet enfant avait été tué par les Allemands, ça les aurait arrangés, les voisins. Ils auraient eu un argument contre lui, Picot, qui ne pensait pas comme eux, qui s'était inscrit à la Légion, qui avait cessé d'y aller d'ailleurs, parce que la Légion nous a bien déçus, et que qu'est-ce que c'est que ces parlotes... On a un gouvernement. Eh bien! il gouverne. Et un chef de gouvernement. Alors.

Oui, ça les aurait arrangés. Le malheur, pour eux, était qu'on savait à quoi s'en tenir. Une

lettre de son capitaine. La visite d'un cama-
rade, ce voyageur en pâtes alimentaires. Un
homme pas très intelligent. Qui croit tous les
bobards. C'est son affaire. Il avait assisté à l'accident. Et je ne vois pas, mais alors là, pas, ce
que ça aurait fait comme différence. Berthe
donnait l'exemple de ce grand cheval, qui travaillait aux Biscuits Blond avant, et qui était
maintenant dans l'administration. C'était une
fine mouche, Berthe, avec ses airs bébêtes. Elle
choisissait le grand cheval comme exemple,
parce que le grand cheval était collaborateur,
pour acheter Grégoire par là. Qu'est-ce que ça
pouvait lui faire ? Lui, justement, les arguments
personnels ne le touchaient pas. Il s'agit de
dominer la question. Dominer la question...

Ah ! la barbe pour les nouvelles sportives ! Il
tâtonna un peu, et vous trouva une de ces
petites musiques aux pommes... Rome probablement... Ils ont de bons orchestres, en Italie.

Le grand cheval... comment s'appelle-t-il
donc ? enfin ! il est tout à fait pour la collaboration. Avant la guerre, il avait des idées plutôt... Il avait raté son concours. On ne l'aurait
jamais pris dans l'administration. Et puis,
après l'armistice, avec toutes ces révocations,
comme il n'était pas mal noté pour les idées...
ayant changé... certainement le facteur personnel jouait dans son cas, les gens le disaient
parce qu'ils étaient contre lui, à cause de la
collaboration, mais Grégoire était juste ! Il
reconnaissait que c'était vrai, le facteur personnel avait joué. Mais qu'est-ce qu'on voulait

prouver par là ? Le facteur personnel... Le facteur personnel... Est-ce que j'ai intérêt personnellement à la collaboration ? Je n'étais
pas plus malheureux avec la République non
plus. Pourtant, c'était une pourriture. Mais
je n'étais pas plus malheureux. Le grand cheval, d'ailleurs, il était pacifiste, avant guerre.
Alors, il a changé sans avoir changé. Il faut de
la logique. Il croyait à la paix par le chambardement, maintenant il croyait à la paix par la
collaboration. Dommage qu'il n'y en ait pas
plus comme lui... même si c'est le facteur personnel... tout le monde ne pouvait pas être
comme M. Catelin. Celui-là ! Vous parlez de
logique : antimilitariste quand on avait une
armée, maintenant qu'on n'en avait plus, il ne
pouvait plus s'en consoler.

C'est embêtant. Il faut tout le temps surveiller le poste. On n'est pas plus tôt sur de la
musique, que ça se met à bavarder...

Évidemment, je l'aurais parié. C'est la 6Q7
qui ne vaut plus tripette. Ça, il me l'a bien dit,
l'homme de Visseaux : le client pourra se bros-
ser. S'il n'est pas content, il ira ailleurs. On ne
la lui aura pas. À moins qu'il tombe sur un
type qui fait du marché noir. Moi, je ne vois
pas pourquoi je ferais du marché noir. Pour se
faire prendre un jour ou l'autre, et aller à
Fort-Barrault, quand on gagne très bien sa vie
comme ça... Et pour qui, je vous le demande,
pour ces gens qui écoutent Londres dix fois
par jour... Vous ne m'avez pas regardé !

D'ailleurs, M. Picot était un honnête homme

Même les voisins, les blanchisseurs, qui étaient des gaullistes enragés, ne disaient pas le contraire. C'était bien ce qui les faisait tous bisquer, les mercières, M. Robert, tous : honnête, et collaborateur ! Et pourquoi est-ce que cela leur paraissait si contradictoire, je vous le demande ? Voilà comment est le monde : celui qui ne pense pas comme vous est une canaille, a tué père et mère, *et cœtera*...

«*Et cœtera*...», répéta tout haut M. Picot, qui venait de laisser tomber à terre un petit écrou, et pas de plaisanterie : on n'en retrouve plus.

M. Picot, lui, pensait qu'on pouvait être anglophile et bon père de famille et même il n'aurait pas fallu le pousser beaucoup pour lui faire dire qu'il y avait des braves gens chez les francs-maçons. Partout d'ailleurs. Enfin, il ne faut rien exagérer, parce que... Les communistes... mais qui est-ce qui parle des communistes ? Les salauds sont les salauds.

«*Aqui Radio-Andorra*...»

Et tuitt, tuitt, tuitt... et tuitt, tuitt, tuitt. Cette femme, c'est un vrai oiseau. Alors ce n'était pas Rome du tout. Ça n'empêche pas qu'ils ont de bons orchestres en Italie.

Maintenant, être gaulliste et intelligent, ça, non, ce n'était pas Dieu possible. Vous me couperiez la langue, plutôt que me le faire dire. Il faut être bouché. Est-ce que je n'ai plus de ce petit fil ? Si. Bien. Bouché. Je voulais toujours tenir un registre des bourdes de la radio des émigrés. Il faudrait l'écouter pour ça. On peut

reconnaître à l'adversaire qu'il n'est ni un
voleur, ni un vendu... Enfin, quelques-uns...
mais lui dénier... dé-ni-er... la plus élémentaire
intelligence... Voyons si le courant passe... Il
passe. Alors, ce n'est pas ça... Mais je croyais
que Jacquot... Est-ce que Berthe n'avait pas dit
qu'elle le laissait là ?

M. Picot se leva précipitamment. Où son
petit-fils pouvait-il être ? On n'entendait pas le
moindre bruit. L'arrière-boutique... La cuisine... Le cœur lui battait : ce petit devait
avoir fait une bêtise. Ah, Berthe avait laissé la
porte de la cour ouverte ! Naturellement ! Il
n'était pas dans la cour. Par exemple ! Le vantail qui donnait droit sur la rue béait. Le gosse
jouait à la balle sur le trottoir.

« Jacquot, veux-tu bien ! Quand on pense
qu'une voiture... »

La petite main douce bougeait doucement
dans la main du grand-père.

« Nain... Nain... Jouguer à la balle, bon
pape ! »

Bon pape s'attendrit encore. Mais il avait eu
chaud. Dire que c'était déjà assez grand et
assez fort pour ouvrir cette diablesse de porte
tout seul, et elle était lourde ! et aller dans la
rue... Heureusement que la circulation n'était
plus ce qu'elle était...

« Là, mets-toi là bien sagement, avec tes
cubes, écoute la jolie musique ! »

Oui. Mais le petit ange ne voyait pas plus tôt
les yeux du grand-père accaparés par le travail
qu'il touchait déjà à tout, que des objets

sonores tombaient, des bruits singuliers et effrayants se déchaînaient à l'autre bout de la boutique, où on ne croyait pas qu'il était déjà. J'aurais dû dire à Berthe de l'emmener. Il est si joli, ce petit chat, malgré tout... Dire qu'il ressemble à sa garce de mère! Ah, et puis, c'est le fils de Pierre, d'abord! Pierre aussi, tout petit, était insupportable. Et puis costaud...

Qu'est-ce qu'il penserait, Pierre, s'il vivait? Comme moi. Pourquoi pas comme moi? Il était intelligent. Il aurait tout de même pu ne pas penser comme moi. Sans qu'il soit gaulliste, parce que ça! Il pourrait y avoir des divergences d'opinions entre nous... Pas trop fortes, j'espère... Mais enfin on ne peut pas penser exactement la même chose... Logiquement. Il aurait dû penser la même chose que moi. Si tout de même il n'avait pas pensé tout à fait la même chose que moi... Puisque le pauvre petit nous a quittés, qu'est-ce que j'ai besoin d'imaginer?

«Jacquot? joue avec tes cubes, mon enfant!»

Il n'y a que les imbéciles qui se refusent à envisager les choses désagréables: s'il n'avait pas du tout, mais alors, là, pas du tout pensé comme moi... Eh bien, ça n'aurait rien changé à rien! La vérité est la vérité. Un et un font deux, même si Pierre...

Ça aurait été pénible tout de même. Parce qu'autrefois on pouvait ne pas être du même avis dans une famille. Nous étions tout à fait d'accord. Mais enfin si on n'avait pas été d'accord... tandis que maintenant... Déjà avec tous

les voisins contre soi. Et ces menaces de la
Radio anglaise contre tous ceux qui pensent
français! Il y a un colonel avec une voix qui lui
sort des talons... Je l'ai entendu une fois... On
serait joli, s'ils étaient vainqueurs! Sans parler
du bolchevisme. Heureusement que c'est
impossible. Pas si impossible que tout ça, c'est
pourquoi il faut ce qu'il faut... Impossible
quand même...

«Jacquot, mon mignon, où es-tu passé, diable
d'enfant? Ah, non, je n'étais pas fait pour être
nourrice! Le chatterton! Malheureux! Il me
flanque du chatterton partout.»

Cela prit un petit temps de décoller le chatterton, de tout remettre en place. Puis il fallut
laver les petites pattes du mignon, toutes pois-
seuses, et il riait, si blond, si lumineux, en agitant les menottes dans l'eau savonneuse! Pour
lui, on avait encore du savon d'avant guerre.

Tout de même, Pierre n'aurait jamais été
assez bête pour couper dans leurs panneaux.
Ce que les gens racontent! Ça vous rappelle
l'autre guerre, les mains coupées des petits
enfants... Tant qu'on s'est battu, ces histoires-
là avaient cours, on se serait fait écharper si on
avait eu l'air d'en douter. Puis la paix est arrivée: on n'en a plus entendu parler, plus d'atro-
cités allemandes, personne ne disait plus boche,
personne... Maintenant, c'est pareil: on écou-
terait les gens, les occupants seraient des
monstres, et je te fusille, et je te torture, les
mères séparées de leurs petits, les malades
achevés dans les hôpitaux, est-ce que je sais ce

qu'ils vont inventer, moi! Et comme ça ne leur
suffit pas d'accuser les Allemands, ils préten-
dent que les Français en font autant, que nous
en faisons autant! Ces récits horrifiques de ce
qui se passe dans les camps de concentration,
les prisons... des épingles dans les talons... le
genre chauffeur de la Drôme... enfin, la police
du Maréchal, si on les croyait, ce serait l'inquisition, l'inquisition! Naturellement, pas un
mot de nos villes bombardées, des bombes
systématiquement jetées par les Anglais pour
plaire aux Juifs de Washington, sur les hôpitaux, les écoles maternelles, les jardins d'enfants! Ça, pas un mot! Non, Pierre n'aurait pas
été assez bête...

Une idée.

«Tiens, mon Jacquot chéri, voilà le beau
livre d'images où on voit les tigres et les lions,
et le pauvre petit agneau, et le méchant loup.
C'est extraordinaire, la passion de ce bout de
chou pour les images. J'en ai pour un quart
d'heure au moins de tranquillité...»

Dzing. La sonnette prolongée de la porte
qu'on ne ferme pas.

«Fermez la porte!»

Le monsieur bafouilla.

«Non, Monsieur, je ne tiens pas cet article-
là...»

Le monsieur battit en retraite. Il ressemblait
à Michel Simon. Mais d'où lui venait cette idée
saugrenue de demander des pinces à linge à
un réparateur de radio? Je vous le dis, les gens
sont incroyables, de nos jours. Des pinces à

linge ! On leur dirait : « Tenez, voilà des pinces à linge ! » ils les prendraient sans s'en étonner. Je parierais même qu'ils demanderaient combien ! Alors la radio de Londres a beau jeu, vous pensez ! Et si on avait le bolchevisme, ils ne s'en apercevraient pas. Ou bien... enfin, non... C'est-à-dire si, ils s'en apercevraient alors ! Ah, oui, ils s'en apercevraient ! En attendant, ils flirtent avec ! Les mercières, pas plus loin : l'autre jour, elles disaient qu'elles préféreraient Staline chez elles qu'Hitler ! Non, mais il faut se représenter ce que ça a de bouffon : Staline chez ces dames, venant chercher dix sous de coton à repriser... Ah, ah, au fond, il n'y a pas là de quoi rire ! Elles ne riraient pas, si Staline... Il est plus près qu'on ne croit... Pas personnellement, bien sûr, mais... Tandis qu'Hitler... Elles seraient jolies, les mercières, si Hitler était battu ! Moi, c'est bien simple, à cette idée... Mais M. Laval a dit que c'était impossible... et cet homme-là, j'ai confiance en lui... Il ne s'est jamais trompé. Il a toujours combattu le bolchevisme. Il a tout de suite vu que Mussolini, c'était la paix. Dzing. Bon. Qu'est-ce que c'est encore ?

« Fermez la porte, Madame ! »

Mais cette rage qu'ils ont tous de rester comme ça, là, la porte ouverte et la main sur le bec-de-cane !

« Monsieur, c'est pour le Secours National... Vos débris de laine...

— Mais, Madame, quels débris de laine ? Je ne suis pas matelassier, Madame ! Je répare des radios, Madame... »

Elle se contenta de dix francs. C'était une personne pâle sur mesure, avec toute sorte d'insignes sur ses seins plats.

«Le joli enfant! dit-elle en s'en allant.
Comme il est sage!»

C'était vrai! Jacquot avait la fièvre à regarder
le petit agneau. Il leva des yeux brillants sur son
grand-père et lui montrant du doigt le Chat
Botté, il demanda: «Qui c'est, ça?» avec une
soif de savoir un peu artificielle, car il n'ignorait
rien du Chat, du marquis de Carabas, ni de tout
le reste, cent fois raconté. Le grand-père le prit
sur ses genoux et commença pourtant l'histoire:

«En ce temps-là, le monde n'était pas tranquille, ni bien arrangé comme de nos jours...
Les petits garçons ne pouvaient pas courir
dans la rue, parce qu'il y avait des brigands, et
des ogres qui les mangeaient, et dans la campagne il courait des méchants loups avec de
grandes dents...

— Il a été sage? demanda Mme Picot, qui
rentrait.

— Comme une image... C'est-à-dire que ce
sont plutôt les images...»

Il s'arrêta, effrayé:

«Mais, qu'est-ce que tu as, Berthe, tu es
toute pâle?»

Elle était toute pâle, en effet. Dans la toile
souvent lavée de sa robe blanche à fleurs impri-
mées, elle faisait peur, la bonne grosse. On lui
voyait le cœur battant, elle tenait les deux
mains serrées sur le minuscule paquet de bonbons pour Jacquot.

«C'est affreux, dit-elle, il y a encore eu une bombe...»

Ce n'était pas une raison pour se mettre dans cet état, mais en effet c'était affreux. Picot demanda :

«Il y a des morts, des Allemands ?

— Oui. Deux. Ces pauvres gens... Mais ce n'est pas ça...

— Comment, pas ça ? On a tué deux pauvres garçons, et tu trouves que ça n'est pas ça ?

— Non, tu sais, le fourreur... Oui, M. Lepage, cette nuit... ils sont venus l'arrêter... La Gestapo... et sa femme et sa fille.»

M. Grégoire Picot regarda sa femme avec stupeur :

«Qu'est-ce que ça veut dire ? D'un côté, deux morts... deux jeunes gens... vraisemblablement des jeunes gens... qui faisaient leur devoir... De l'autre, des gens qui ne faisaient apparemment pas le leur, qui conspiraient, qu'on vient chercher chez eux, comme ils s'y exposaient, pour savoir à quoi s'en tenir... et c'est ça qui te bouleverse ?»

Berthe eut du mal à s'expliquer, les Lepage avaient été enlevés, emmenés on ne savait où, le père de Madame avait essayé de savoir, on lui avait dit de se mêler de ce qui le regardait, il avait dit que justement, les Allemands avaient dit que c'était un bon conseil, et les Français que ce n'était pas leur boulot... Son mari l'interrompit :

«Vous jetez des bombes, et puis après vous venez vous plaindre ! Un peu de logique, nom de Dieu, un peu de logique !

— En attendant, dit Berthe, vexée, on a une fois de plus le couvre-feu à huit heures, et dès ce soir, s'il te plaît… »

Le couvre-feu ? Grégoire la regarda, interloqué. Puis se ressaisit. Très vite. Parce que le couvre-feu, ça le connaissait, on l'avait tous les huit jours. Ce n'était pas le couvre-feu, qu'on eût le couvre-feu qui l'avait, à vrai dire, interloqué : mais le ton de Berthe. Un ton péremptoire, d'évidence, de démonstration. Qu'est-ce qu'elle cherchait à lui démontrer par là ? Le couvre-feu ? Et puis après ? Bien entendu, qu'on avait le couvre-feu. Quand on jette des bombes, il y a le couvre-feu. Tout le monde sait ça. Qui est-ce qui a commencé, on n'allait pas reprocher le couvre-feu aux Allemands. Ils n'y étaient pour rien. Il faut un peu de logique.

« Évidemment, c'est dérangeant, concéda-t-il. J'avais envie d'aller au cinéma, ce soir. Pour un film allemand qu'on joue au *Ciné des Fleurs*, justement, *Le Juif Süss*. J'avais regretté de ne pas l'avoir vu, quand on l'a donné en ville, l'autre année. Il paraît que c'est très fort. Très bien joué… Tant pis. On n'en mourra pas. À la guerre comme à la guerre. Mais toi, bien sûr, du moment qu'il y a le couvre-feu et que ça te gêne tant soit peu, du coup tu voudrais voir les Allemands au diable !

— Oh, ça, oui ! s'écria-t-elle du fond du cœur.

— Si le ciel t'entendait, malheureuse, nous serions dans de beaux draps… J'aime mieux avoir le couvre-feu de temps en temps que tous ces excités jouant du revolver sur l'ordre de Londres... ou un commissaire du peuple dans mon magasin !

— Un commissaire du peuple dans ton magasin, pour quoi faire ?

— Ne fais pas l'idiote, tu me comprends très bien. Mais parlons d'autre chose : imagine-toi que Jacquot, que je croyais bien tranquille, tu étais partie depuis dix minutes pas plus...

— Viens de l'autre côté, il faut que je me dépêche pour faire mon dîner. Je me suis attardée avec cette histoire du fourreur. Le confiseur dit que sa fille recevait des parachutistes...

— Des parachutistes ? tu vois bien ! Ces gens-là ne sont pas intéressants. Mais si on écoutait tout ce qui se raconte ! D'abord, les parachutistes, ce sont des histoires pour faire peur aux petits enfants. Il n'y a pas de parachutistes. C'était un espion, ton fourreur, et la petite Lepage est une grue.

— Oh, une grue, elle est très correcte !

— Tu la défends ? Si tu avais une fille, est-ce que tu lui permettrais de recevoir des parachutistes ? Non ? Alors. Un peu de logique. Et puis, quand je dis, moi, que les Allemands sont corrects, qu'ils font ce qu'ils ont à faire, je vois sur ton visage que ça t'exaspère !

— Ça ne m'exaspère pas, ça me gêne...

— Ne joue pas sur les mots ! Ça t'exaspère. Mais la fille du fourreur reçoit des parachutistes dans son lit, et tu la trouves correcte !

— Qui est-ce qui t'a dit que c'était dans son lit qu'elle les recevait, la pauvre fille ?

— *La pauvre fille* est admirable! Mais toi...
ou plutôt... non... Personne... Mais avec un
peu de logique... elle ne devait pas les recevoir
dans le lit de sa mère... et puis, je suppose que
c'est dans son lit, parce que c'est dans son lit
qu'on faisait ces choses-là, de mon temps... et
à moins qu'on ait tout changé... c'est peut-être
le swing... le genre zazou... Qu'est-ce qu'il y a,
Jacquot?»

Le petit voulait des bonbons.

«Tout à l'heure, mon mignon, au dessert, ça
te couperait l'appétit. Tiens, je ne discute pas
avec toi, Grégoire, tu es injuste pour cette malheureuse, et puis il est sept heures, et mon
fourneau n'est pas allumé.

— Des bonbons, des bonbons!»

Jacquot disparut sur les pas de sa grand-
mère. Sept heures déjà! La porte du magasin
s'ouvrait avec le dzing qui ne s'arrête pas de la
sonnette.

«Fermez la porte! cria M. Picot. Qu'est-que
c'est?

— Vous ne pourriez pas me dire où je pourrais trouver du blanc d'Espagne?»

Un comble. Du blanc d'Espagne maintenant! Sept heures du soir! Et un homme avec
une voix de basse, on aurait dit Raimu! Tout à
l'heure, Michel Simon, maintenant Raimu...
tout le cinéma, quoi. Il ne demanda pas son
reste.

Il était l'heure d'enlever le bec-de-cane. On
viendrait lui demander des lacets de chaussures sans ça, la prochaine fois. Sur le pas de

la porte, pourtant, il s'attarda un peu. Il faisait doux, chaud, mais pas trop tout de même pour la saison. C'était cette pluie de la veille qui avait fait du bien. Il salua l'épicière d'en face, qui s'inclina assez sèchement. Une mijaurée, cette Mme Delavignette! Il sortait comme une buée de chez le blanchisseur à côté, c'était une rue bien calme, avec la place tout près, où il y avait le terminus d'un tram-way qui n'y arrivait plus depuis six mois. Un bicycliste passa comme un fou.

«Vous voyez ça, monsieur Picot, lui dit le blanchisseur de sa porte. Ces jeunes gens se croient tout permis, maintenant qu'il n'y a plus d'autos. Des fois que votre petit-fils, par exemple, aurait joué sur la chaussée.

— Ne m'en parlez pas, monsieur Brun! répondit Grégoire avec ce petit air de supério-rité qu'il avait avec les gens qui n'étaient pas de son monde. Des gamins comme ça, un petit tour en Allemagne ne leur fera pas de mal!

— Ce n'est pas ce que je voulais dire...»

Quelqu'un avait dû appeler M. Brun à l'inté-rieur, qu'il disparût brusquement. M. Picot hocha la tête. La Relève était un fait. La suscep-tibilité des gens n'y changeait rien. C'est excel-lent pour les jeunes gens d'être un peu dressés. Jadis, il y avait le service militaire. Maintenant, il n'y avait plus de service militaire. Heureu-sement qu'en Allemagne... Nous leur devrons une fière chandelle, à ces gens-là. Qu'est-ce que nous aurions comme vauriens, sans eux! et comme fainéants!

Il fit un tour jusque sur la place. Là encore, il y avait des garçons de seize, dix-sept ans, à ne rien faire, assis sur le dossier d'un banc, d'autres debout, parlant fort. M. Picot ne dit pas ce qu'il pensait. Il s'arrêta devant la colonne où on avait apposé une affiche de la Milice, et la lut. Décidément, le péril rouge ne s'éloignait pas. Pour qu'on fît toute cette dépense de papier, quand le papier manquait! Il suffisait de regarder cette jeunesse pour comprendre, du reste. Et quand on a été à l'Exposition antibolchevique et qu'on a vu ce que ça représente, et leurs prisons où on ne peut pas s'asseoir, et le reste. Ça n'est pas des racontars, ça, au moins.

C'est ce qu'il dit à M. Robert, quand celui-ci, soulevant sa casquette plate à visière, lui fit quelques remarques sur le temps, le couvre-feu dont tout le monde parlait, et les incidents dans ce petit bal où il y avait eu une femme, une Française, blessée en même temps que les deux Allemands tués. On disait que c'était bien fait, qu'elle n'avait pas besoin de danser avec des... M. Robert, qui était un homme d'âge, assez timide, avec sa grosse moustache grise et pas de menton, ne disait pas des quoi, mais on l'entendait. M. Picot se fâcha un peu. Par contre, M. Robert était toujours très aimable, et au bout du compte M. Picot se sentait un peu isolé dans le quartier.

«Voyons, voyons, monsieur Robert, vous avez été en Rhénanie, en 19, vous aussi, comme moi! Eh bien! est-ce que nous étions mécontents, quand une jeune fille voulait bien danser avec nous, et même?... Non, n'est-ce pas? Alors il faut être logique...

— Bien sûr, mais aussi les... enfin les Allemands leur rasaient la tête, vous vous souvenez?

— Il y a des exaltés partout, monsieur Robert, ça ne prouve rien.

— Oh, ça! ça ne prouve rien, dit l'autre, rien du tout. Je dis ça plutôt histoire de causer. Si on devait faire, nous, tout ce que les... les Allemands ont fait, on n'aurait pas fini!

— Il y a des leçons que nous pourrions tirer de leur exemple...

— Des leçons d'allemand? Euh, euh, je dis ça pour faire drôle...»

Plaisanterie douteuse sur un sujet sérieux. M. Picot avait la tête un peu rêveuse. Le souvenir lui était revenu de ce temps de l'occupation française, quand il était au 25e Chasseurs, à Godesberg. Et Wiesbaden... une belle ville, il n'y a pas à dire! Il n'aurait pas aimé alors qu'on lui jetât des bombes, et quand il y avait un chasseur qui récoltait un coup de couteau, le commandant n'était pas content non plus.

«Il faut de la logique», affirma-t-il avec force.

M. Robert, qui n'avait pas suivi la suite de ces pensées rhénanes, leva des yeux bleus et surpris:

«Qu'est-ce qui vous fait dire ça?

— Rien... dit M. Picot, simplement: qu'il faut de la logique.

— Ah, vous avez bien raison ! »

Sur ce, ils se séparèrent.

Le dîner n'était pas prêt, il était bien huit heures quand on se mit à table, et comme c'était vendredi, le dîner manquait un peu de corps. Berthe avait fait un mate-faim, ce qu'on appelle un mate-faim par ici. Où avait-elle pris les œufs ? Ses explications embarrassées n'arrivèrent pas à cacher à son mari que les œufs venaient du marché noir. Elle ne lui disait pas quand elle achetait quelque chose un peu irrégulièrement, parce que ça lui gâtait le plaisir, à Grégoire, de penser que c'était du marché noir. Et s'il avait fait du marché noir lui-même ? Et si tout le monde en faisait, où irions-nous ? D'ailleurs, tout le monde faisait du marché noir, les gens n'ont pas de conscience, et si nous n'avions pas les Allemands... Berthe l'interrompit :

« Oh ! ils en font bien un peu aussi, tu ne crois pas ? »

Il hésita. Dire, laisser dire que les Allemands faisaient du marché noir, c'était porter de l'eau à un certain moulin. D'autre part, M. Laval l'avait laissé entendre. Et puis, il craignait de se laisser emporter par la partialité. Les Allemands ne sont pas des petits saints, après tout, ce sont des hommes, et même des hommes un peu là...

« Ils en font, dit-il, je ne dis pas le contraire, mais quand c'est eux, ça ne s'appelle pas le marché noir... »

Jacquot mangeait très mal sa petite purée.

«Allons, mon chéri, une fourchette pour
Bonne Mame, une fourchette pour Bon Pape,
une fourchette pour Pauvre Pape... Qu'est-ce
que c'est? Tu n'en veux plus, ce n'est pas
gentil...»

Le moyen de lui refuser les bonbons, quand
il vous entourait de ses petits bras doux et frais,
et qu'il vous regardait en relevant ses longs cils
cendrés dans son visage transparent, où le
sang semblait si voisin sous la peau blanche,
que pour un rien le petit changeait de couleur.

«Bon, va t'amuser!»

Par la porte-fenêtre, ils le regardèrent courir dans la cour avec sa balle. Une belle petite
balle de caoutchouc. Luisante avec des cercles
de couleur. Il ne savait pas encore très bien
s'en servir, Jacquot. Le drôle était de la jeter,
peu importait comment et où, mais de la jeter.
Ses éclats de rire faisaient de la lumière dans
le soir tiède et calme, où une odeur de tilleul
venait des jardins voisins dans cette cour,
entre des maisons basses.

«J'ai rencontré M. Robert sur la place, dit
Grégoire. Il y a quelque chose qui ne va pas
chez cet homme-là, je ne sais pas quoi, mais
qui ne va pas...

— Il n'a pas été aimable avec toi?»

C'était son inquiétude, à Berthe. Générale-
ment, M. Robert, lui, était bien poli. Le jour où
M. Robert commencerait à ne plus être poli
avec Grégoire, ça sentirait mauvais.

«Non, non, ce n'est pas ça. Mais ce qu'il dit
n'a pas de sens...

— Il est peut-être tourné au gaullisme, soupira Mme Picot, le plus naturellement du monde. Tu vas fumer ta cigarette sur le pas de la porte?... Oh! le couvre-feu: moi qui n'y pensais plus!

— Tu exagères, dit M. Picot, sans sortir dans la rue, on peut...

— Tu crois? Je vais regarder de quoi ça a l'air.»

Plus il y pensait, et plus Grégoire trouvait ce M. Robert bizarre. La plaisanterie qu'il avait faite, à y resonger, était stupéfiante d'indécence. Un vieil imbécile. L'âge lui portait sur la cervelle.

Berthe revenait, très agitée. Non, on ne pouvait pas se mettre sur le pas de la porte. Tout était fermé, elle avait regardé par la fenêtre du premier étage. Personne en vue, sauf que sur la place, en se penchant, elle avait aperçu des Allemands.

«Comment, des Allemands? ici, sur la place?

— Oui, bien une vingtaine. Ils font un barrage au bout de la rue, et ils ont des fusils... Il y a des voitures, à côté de la colonne...

— Ici, sur la place?»

M. Picot n'en revenait pas. Et quand il y réfléchissait, il se trouvait absurde. Puisqu'il y avait des Allemands dans le pays et dans la ville même, pourquoi n'y en aurait-il pas eu sur la place, à côté de chez eux, leur place? pas l'ombre de raison. Ils étaient là pour faire respecter le couvre-feu, c'était clair. M. Picot repensa à ces jeunes gens tout à l'heure, qui flânaient sur cette même place.

«Ça ne prouve rien», dit-il à voix haute.

Mais cependant ça lui était désagréable. À Berthe aussi, du reste, alors cela développa, chez lui, l'esprit de contradiction, et il trouva tous les arguments nécessaires pour démontrer que la présence de ces soldats était explicable, naturelle, normale, souhaitable, et après tout rassurante.

«On est gardé comme ça, tu comprends. Dans ces périodes d'attentats... avec tous ces excités...»

Et, à la réflexion :

«Eh bien, j'irai fumer dans la cour, avec Jacquot...»

Jacquot avait inventé de pousser la balle avec son pied. C'était une découverte, faite dans cet enthousiasme qui accompagne toujours la création du génie humain. Il la lançait à droite, à gauche, au fond... Un instant, il s'arrêta pour donner tous ses soins à une petite carriole de bois vert et jaune dans laquelle une dizaine de cailloux étaient entassés, et il s'y attelait au bout d'une ficelle en faisant : Chchch, chchch... comme si cela avait été un train, et lui, Jacquot, la locomotive...

La grand-mère le regardait avec des yeux qui n'en pouvaient plus. Au vrai, c'était un enfant adorable.

«Quand j'étais au 25e Chasseurs, à Godesberg...» commençait à raconter M. Picot, qui après chaque bouffée de sa cigarette la regardait comme s'il l'avait vue pour la première fois.

Le petit s'était fatigué de son chariot. Il avait repris sa balle et la lançait à la main. Cela se fit très vite. Elle était partie sous la voûte, et avait glissé sous le vantail qui ne touchait pas terre. Jacquot y courut, et sur la pointe des pieds atteignit le loquet de fonte. D'une façon presque incompréhensible, tant cela avait l'air lourd, et c'était silencieux, le vantail s'ouvrit, le petit pendu après. Le grand-père l'avait vu, et sans réfléchir bien exactement, il se jeta dans la direction de la porte.

Pas assez vite. Jacquot était sorti et ramassait sa balle dans la rue, en pleine chaussée.

Assez vite pourtant pour voir, au coin de la place ronde, le soldat allemand, énorme, athlétique, qui visait soigneusement l'enfant et, d'un coup de feu, correctement, fit mouche.

Le droit romain n'est plus

Ah quel ennui, pour une fille de mon genre, cette petite ville française où il n'y a rien à regarder, rien à acheter, où les hommes sont petits et noirs, et les commerçants d'une servilité, tenez, je les fouetterais! Nulle part où entendre de la musique! Notre garnison, ne m'en parlez pas: ces gens de Silésie sont lourds, lents, stupides. Ils vous font tous la cour de la même façon. Tant qu'il y avait Puppchen ici, encore: elle était assez drôle, elle me lisait ses lettres, ce n'était pas une fille géniale, mais elle avait de la méchanceté, elle parlait comme il faut des hommes, et puis de nous voir toujours ensemble, cela nous donnait un genre.

Pendant un temps, il y avait les Italiens à l'*Hôtel Central*. Ils ont de beaux yeux. Mais ils ont mal tourné. De quoi ils avaient l'air quand on les a emmenés, tous, tous, gardés juste par un homme à nous pour cent d'entre eux. Pitoyable, pitoyable.

Il y a bien un magasin de sports, où on peut

encore trouver des chandails en belle laine.
Mais ce n'est pas mon genre. J'en ai envoyé
dix à Klärchen. Ça lui va très mal. Pis qu'à
moi. Elle m'a écrit que j'étais adorable. Elle
peut bien. Ce sont de beaux cadeaux. Quand
on pense comme les gens d'ici en auraient
besoin, s'ils pouvaient les acheter, parce que
pour eux il faut des bons, des points, je ne sais
pas trop. Ils sont mis pauvrement, avec des
choses vieilles, rapiécées. Les femmes ne sont
pas du tout élégantes comme on nous l'avait
pourtant seriné. Pas même jolies. Maigri-
chonnes. Il y a des Silésiens à qui ça plaît,
naturellement. C'est leur genre.

Il y a le *Dauphinois*, tout blanc, genre Tria-
non, sur la place à côté de la *Cloche d'Or*. À
défaut de mieux, c'est là que je vais prendre
le café avant de retourner au bureau. Ce café,
ce n'est pas du moka. Et le café, je veux dire
le lieu, oh, non plus! On aurait envie d'un
orchestre, des valses. Tout cela est sinistre, la
petite ville, les clients qui se connaissent, et la
jeunesse dorée de l'endroit, deux ou trois garçons qui font semblant de regarder des dames
un peu fardées, pas jeunes, femmes de fonc-
tionnaires... Ah Dieu, tout ça abominablement
normal, comment disent-ils ici? popote, voilà,
popote. Et Bubi qui m'écrit du front russe
qu'il aimerait bien être de ce côté! Il ne sait
pas de quoi il parle.

Le seul homme bien élevé ici est cet officier
de la Gestapo, un Oberleutnant, qui a des yeux

si spéciaux. C'est un littéraire. Il m'a prêté un roman français qui s'appelle je ne sais plus comment. C'est d'un grand écrivain qui est notre ami. Je n'y ai rien compris. J'ai pourtant habité la Suisse. L'Oberleutnant m'a dit : « C'est cochon, hein ? » parce qu'il parle tout à fait le français comme un Français. Je n'ai pas trouvé. J'ai une autre idée de ce qui est cochon. Les Français ne disent jamais rien directement. Et moi, j'ai besoin qu'on soit très direct avec moi. Voilà mon genre. Pas comme les Silésiens naturellement. Eux, alors, pour être directs ! Mais l'Oberleutnant... je ne dois pas être son genre. Et puis il est occupé : sa spécialité, ce sont les Juifs. Il en trouve partout. On dirait qu'il les fait naître. Il les fait bien mourir aussi.

Nous sommes seize filles couchant à l'*Hôtel Métropole*, un drôle de petit hôtel tout en hauteur. On dirait un pensionnat. On écoute la radio le soir... On prend des douches ensemble, on se frotte les unes les autres au gant de crin. J'ai passé l'âge du pensionnat. Il n'y avait que Puppchen de gentille. Elle est à Paris, elle n'écrit pas. Elle doit s'amuser. Je m'ennuie quand je pense que les autres s'amusent, oh ! alors je m'ennuie.

Le seul bon moment de la journée, c'est quand il y a tribunal. Depuis que je suis la secrétaire du Commandant von Lüttwitz-Randau, trois fois par semaine, j'assiste aux séances du tribunal. Le Commandant est juge militaire. C'est dommage qu'il ne soit plus jeune. Je préfère les hommes jeunes. Le Commandant n'est pas très drôle, mais on voit du monde au tribunal, des gens qu'on ne verrait pas sans ça. Des Français, des communistes, des assassins. Aussi des soldats à nous, qu'on a pris à faire ce qu'il ne faut pas, des déserteurs. C'est curieux, je déteste les déserteurs, mais ils m'intéressent. Une fois il y avait un SS qui avait couché avec une Juive. Mais avec une Juive qui ne demandait pas mieux. C'était très curieux, très curieux. Pis qu'un déserteur !

Le Commandant von Lüttwitz-Randau me fait la cour, bien entendu. Il n'est pas tout à fait assez direct. Il est gêné, cet homme. Il ne voudrait pas que cela se sache. Mais moi... qu'est-ce que cela me fait que ça se sache ? Sans être direct comme un Silésien, il pourrait être un peu brutal. Je regrette qu'il ne soit pas plus jeune. Il a un de ces visages sans couleur, avec les cheveux blonds, un peu clairsemés, qui ont foncé vers la quarantaine, des petites rides près des yeux. Peut-être qu'il a des vices. Il ne sait pas le français comme l'Oberleutnant de la Gestapo. Alors, de temps en temps, il me demande comment on dit en français... et un mot bien ordinaire, toujours bien ordinaire. J'ai très envie de lui souffler des mots obscènes. Les Italiens m'ont appris des mots obscènes. Il les répéterait à voix haute, sûrement, devant les accusés. Je ne peux pas faire ça, non. À cause du Parti. Je suis membre du Parti. Je ne peux pas l'oublier. Je ne sais pas si le Commandant... Ces familles aristocratiques n'arrivent pas à comprendre notre socialisme. Ni notre Führer. Je me demande si je dois me laisser faire la cour par le Commandant von Lüttwitz-Randau... Je vais écrire à Bubi, lui demander son avis. Il est capable de s'en faire tuer par les Bolcheviks. Pauvre Bubi! Tuer, c'est trop. Je le vois assez bien avec une jambe en moins. Ça lui donnerait un petit genre, à Bubi, de n'avoir plus qu'une jambe. Il est trop symétrique. Je m'ennuie avec cette beauté régulière. Ah cela, lui, Bubi, il est direct, au moins, il est direct. Il m'a envoyé de très jolies choses d'Odessa. Il a beaucoup de goût, il faut lui laisser cela. Peut-être pas assez de fantaisie. Au fond, il me faudrait quelqu'un qui ne soit ni tout à fait Bubi, ni tout à fait Puppchen. Et voilà, il me tombe M. von Lüttwitz-Randau... Il y a de quoi rire. Mais je m'ennuie tant.

Je ne demanderai pas son avis à Bubi. Je vais me laisser faire la cour par le Commandant. Par exemple, il faudra qu'il apprenne à être plus direct. Une femme a le droit d'être un peu bousculée. Sans ça, à quoi bon les hommes? Je m'ennuie avec les Silésiens et la France, et Puppchen n'écrit pas de Paris. Quel genre! S'il y avait seulement un peu de musique...

Je ne peux tout de même pas user tout mon temps libre chez le coiffeur à me faire verser sur la tête tout ce qu'il leur reste d'un peu cher, et à me faire passer sur le visage des vibromasseurs, des crèmes et les doigts du garçon qui est un Arménien. Cela manque de musique à crier. Essayons le Commandant. Il a un certain genre. Après tout, l'âge... c'est surtout important chez les femmes. Les hommes... on n'a qu'à fermer les yeux.

*

Le tribunal allemand est logé dans une bâtisse immense, disproportionnée à tout, à ce qui s'y passe, au siècle, à la ville. Une demeure des temps passés, dont, n'ayant pas son Baedeker, l'auteur ne peut dire l'histoire. Une demeure noire et haute, qui fait autour d'elle les rues étroites plus qu'elles ne le sont. Des murs noirs avec des ravines blanches de pluie, une maison zébrée d'ombres et d'avalanches. Couverte de figures sculptées qui furent symboliques sans doute, quelques Cérès, des Junons de pierre sombre, des Hercules ou des Satyres, et d'énormes fruits de paniers débordants. Cela écrase tout ce qui l'entoure. Un mélange de poutres à la pierre révèle la survivance du Moyen Âge dans cette Renaissance, la tradition locale plus forte que les architectes italiens. Il y a des nids sous le toit avançant. Des nids déserts, dont on n'a vu jamais s'échapper des oiseaux, de mémoire d'homme.

Mais, à l'intérieur, les salles, trop hautes même pour les lumières modernes tant bien que mal installées, ont plusieurs mètres de refuge pour les chauves-souris devinées. Il y a dans ces fuites éperdues de ténèbres vers les plafonds des palpitements d'ailes, des souve-

nirs accrochés de drames anciens. Les couloirs hésitent tous à s'enfoncer dans le plan
baroque de ce logis bizarre, et pas un ne continue la ligne amorcée, ils tournent ou dévient,
et se morcellent de portes lourdes et usées sur
des gonds criards où l'on voit d'inutiles gril-
lages sur des judas condamnés.

Des escaliers monumentaux, des balcons de
bois surplombent les pièces noires, d'où ont
disparu les tapis volés laissant les dalles
froides. Dans quel frémissement tout ceci jadis
s'est-il immobilisé, dont il reste des plis aux
tentures élimées, un reflet aux vitres obscures ?
Il est permis d'imaginer que ce fut ici un
repaire de grands fauves, qui ont pensé leur
antre à la taille de leurs appétits. Sans doute
cela se passait-il aux jours de l'occupation
espagnole, la seule, la vraie, quand M. de
Valentinois, fils du Pape Alexandre, errait ici
de pièce en pièce, maigre et noir, fiévreux et
jaune, scrutant les recoins aux meurtriers pro-
pices, et dans cette ville qui lui appartenait,
mais qui n'était pour lui qu'une halte entre
Rome et l'Espagne, essayait les poisons qui
devaient lui donner l'Italie. Ici ses hommes
liges s'exerçaient *in anima vili* à la pratique du
stylet ou du lacet étrangleur. Ici un peuple
bâtard tout mélangé de Suisses et de Maures,
de montagnards et de soldats, faisait les frais
de l'expérience de celui qui s'appelait César ;
avant qu'il ne la portât, cette expérience, sur le
théâtre romain où elle prendrait une lumière
universelle, elle n'avait ici que la valeur d'une

répétition sanglante, dont jamais l'histoire ne serait écrite. En ce temps-là, la vie humaine était peu de chose, à côté d'une parole grandiose ou d'un tableau de Florence ou de Sienne. En ce temps-là, des dogues aux cuisines mouraient d'avoir dévoré les restes d'un homme empoisonné, et on faisait aux dogues des funérailles publiques.

Tout cela rayait la nuit des plafonds à l'espagnole, tout cela et bien d'autres souvenirs, comme de cette maîtresse royale marchant ici nue à cinquante-huit ans devant sa cour assemblée, sans autre honte que ce léger pli au cou, qu'elle bridait d'un velours portant une topaze. Comme des débats entre lieutenants généraux plus tard, dans leurs costumes justes au corps avec une infinité de boutons, gris et noirs, achevés de dentelles blanches, quand la contrée était en proie à un pillage qui n'était pas le fait du prince ou de l'étranger, mais d'un beau bandit sorti de la terre même des balmes et des combes, et qu'enfin l'on roua sur la grande place, en criant dans des porte-voix à tous les échos le nom damné de Louis Mandrin. Il avait sans broncher subi la question de l'eau, on lui avait brisé les membres, on avait porté dans sa chair le fer rouge pour voir si elle venait ou non de l'enfer, et on le fit écarteler par quatre chevaux.

Vous voyez que rien ne nous effraye, que nous connaissons tout cela, qu'il y a chez nous fort à faire avec des traditions à l'échelle de nos bâtisses d'ombre, vous voyez que vous n'avez rien inventé, misérables, petits petits, dans le coin d'une des salles, perdus autour d'une table, avec des dossiers, deux soldats armés automatiquement, gris et rasés sous le casque peint par peur des oiseaux, torturant des marchands de fruits, des ménagères, des ouvriers de l'Arsenal, des paysans... misérablement petits Boches, faisant encore on se demande pourquoi les simagrées de la justice sous un portrait de votre Chef qui remplace le Christ de César Borgia, gris et verts, l'homme avec ses besicles (son lorgnon ne lui suffit pas pour lire), la femme qui prend des notes à côté, une souris comme on les appelle dans leur uniforme gris à col blanc, et on introduit un nouveau prévenu, le soldat qui l'amène tend le bras en criant : *Heil'er!* la plume se remet à gratter sous le nez appliqué de la souris, une fille bien grasse, sans fard, les lèvres blanches, les yeux sournois, Fräulein Müller, Lotte pour le Commandant von Lüttwitz-Randau, l'homme aux besicles, quand ils sont seuls, sans prévenus, sans soldats à mitraillettes, sans l'apparat des jugements simplifiés, les rapports de l'Oberleutnant qui parle le français d'une façon si cochonne, sous le regard noir des siècles dans toute la hauteur des salles avec les chauves-souris réfugiées sous le portrait d'Hitler pudiquement voilé avec la combinaison-culotte de Mademoiselle Lotte Müller qui ferme les yeux pour ne pas voir les yeux qu'a M. von Lüttwitz-Randau quand il a quitté son lorgnon, ses besicles...

*

Où ai-je donc encore mis mon lorgnon ? Je
ne vois plus rien sans mon lorgnon. C'est pour
cela que toutes les femmes sont si exactement
pareilles. Toutes des fumées. La Lotte comme
les autres. Ah, voilà mon lorgnon. Je me
demande si les myopes voient toutes les femmes
si exactement pareilles. Alors une vaut l'autre.
Aussi bien la Lotte que ma Trude. Ce n'est que
dans les romans que les femmes paraissent si
différentes les unes des autres. C'est peut-être
une question de dioptries. Quand j'ai mon lorgnon évidemment… mais on ne peut pas garder son lorgnon dans certaines circonstances.
Fumées ! Fumées ! Les femmes ne sont que
fumées. Il faisait encore assez froid ce matin.
J'ai lu un article extrêmement intéressant dans
le *Völkischer Beobachter* sur l'évolution du droit
allemand. C'est très singulier, j'y ai retrouvé
plusieurs vues que j'avais moi-même en 1925,
huit ans avant la prise par notre Führer du
pouvoir, dans ma thèse *De jure germanico*,
hasardées. Ce qui prouve que j'ai beau n'être
qu'un rallié, il n'y a pas moins entre le national-socialisme et moi de très anciennes et profondément troublantes affinités. Je l'ai dit à ce
jeune Oberleutnant qui, à mon avis, autour de
la Lotte, lui prêtant des livres, ne tourne que
pour se faire de ce que je pense une idée.

Il a ricané, disant qu'il n'y a qu'une conception vraiment allemande dont on fait généra-

lement l'honneur à Bismarck : la force prime
le droit. D'abord cette conception est pré-
bismarckienne, mais surtout elle n'exprime
qu'un fait, et non pas la relation entre les faits
qui, dans les mauvais cas, peut servir d'argument. Parce que ce jeune Oberleutnant ne voit
pas qu'il est pour l'Allemagne profitable, non
pas seulement de justifier la victoire, mais
dans la défaite aussi d'avoir à sa disposition
une machine de guerre contre l'ennemi, qui
est ce que j'appelle le droit germanique,
jus germanicum ; et quand je le lui dis, de per-
sifler, lui, à quoi bon envisager la défaite, si
on ne la souhaite pas ? Un dangereux jeune
homme, je dirai à Lotte de se défier.

Notre Führer, en matière de droit, est, il faut
dire, tout à fait inspiré. La suppression de
toutes les lois au bénéfice de l'intérêt national
tel qu'à la minute du jugement le juge en dernière analyse le conçoit, c'est une audace vraiment allemande ! Elle rejoint les conceptions
sur lesquelles on est si mal renseigné de la justice au temps de Siegmund et Sieglinde, quand
pour sauver la race l'inceste était conforme à
la morale. Mais il s'agit maintenant d'élaborer
un vocabulaire juridique, permettant aux seuls
Allemands d'appliquer les règles favorables à
notre patrie, qui, le cas échéant, pourraient
se retourner contre elle. C'est là notre tâche,
à nous, juristes de la vieille école, ralliés aux
idées nouvelles. Naturellement ne comprennent
pas cela des jouvenceaux de la police d'État,
qui ne savent pas le pouvoir des mots, et la

nécessité de les détourner au profit de la cause
allemande, comme d'ailleurs notre Führer l'a
toujours fait depuis des années et des années.

Son exemple, tout le monde doit le méditer.
Il y a même des Français qui le comprennent.
C'est machinalement ce qu'on oublie quand on
fait le métier que nous faisons, je le disais à
Lotte. Naturellement, nous ne voyons guère
que la racaille au tribunal ! On croirait peu à
peu que tous les Français se dressent contre
nous. C'est tout à fait faux. Le Dr Grimm nous
l'a dit dans la jolie conférence qu'il nous a faite.
J'ai beaucoup aimé cette conférence. J'aime
beaucoup les conférences. On pense plus clair
après une conférence. Cela vous décrasse le cer-
veau. C'est comme si j'avais soudain retrouvé
mes lorgnons.

J'ai été sans Lotte à la conférence du
Dr Grimm. Il faut bien un peu me surveiller.
Les filles étaient toutes ensemble, et nos soldats
ont été amenés en rangs. Très réussie, cette soi-
rée franco-allemande. À côté de l'Ortskomman-
dant von Treischke et des officiers de l'aviation,
il y avait des Français sur l'estrade, ceux-là justement qu'on ne voit jamais au tribunal. Nos
amis. Le Préfet, le Maire, les Conseillers muni-
cipaux, le Chef de la Milice, le Chef de la Corporation Paysanne… Le Chef de la Corporation
Paysanne m'a beaucoup plu. Il n'avait pas l'air
du tout d'un paysan. C'était un homme grand et
blond, pas jeune. Il a un nom double, comme
moi. Mais sans particule. Un nom fait de deux
noms très français. J'ai oublié. Un nom très

français. C'est ce qu'ils appellent la noblesse républicaine : Waldeck-Rousseau, Leroy-Beaulieu, Panhard-Levassor, etc. La conférence du Dr Grimm était vraiment très, très jolie. En français. Il parle un français tout à fait châtié, sans aucun accent. C'était excellent pour la pédagogie. J'aime beaucoup entendre le français très pur. Cela aura été très utile pour tous nos hommes dans la salle. Le Dr Grimm a travaillé à Paris, avant la guerre, au rapprochement des deux pays. On n'a pas osé l'expulser, quand le Front Populaire a poursuivi de sa haine S.E. Otto Abetz. Il nous a dit combien nous étions aimés par les vrais Français, ceux qui ne subissaient plus l'emprise juive.

Le Chef de la Corporation Paysanne lui a répondu. Très joliment aussi. C'est un vétéran de l'amitié franco-allemande : déjà avant la guerre, il a été à Nuremberg, au congrès national-socialiste et il a eu l'honneur d'être présenté à notre Führer. Ce qui prouve combien notre Führer a eu de l'intuition pour ce qui est des hommes de valeur, car, le croirait-on ? alors cet homme remarquable n'avait aucune fonction, et végétait dans de petits emplois avec son grand beau nom républicainement noble. Nous avons tous compris en l'écoutant, que la vraie France était avec nous contre le bolchevisme et l'Angleterre. Il paraît même qu'il y a un évêque de l'Académie française qui voulait aller se battre dans les neigeuses plaines russes pour les délivrer, mais son âge l'en a empêché. Ce qui prouve que tous les évêques ne sont pas comme ces mauvais prélats que nous avons en Allemagne qui font des prêches contre notre Führer, l'euthanasie, et beaucoup des principes de notre Troisième Empire.

Le Dr Grimm est un peu le cousin de ma Trude, alors je ne pouvais vraiment pas, même si la discipline déjà... Je l'ai dit à Lotte, elle était furieuse. Elle s'ennuie avec les autres filles. Et puis elle m'adore, elle m'appelle Kätzchen. Je ne croyais plus que cela m'arriverait encore. Depuis 1917, plus personne ne m'avait appelé Kätzchen. Trude n'aime pas les diminutifs. Elle me dit *mein Schatz*.

*

« Kätzchen ! dit Lotte Müller en se penchant pour tirer ses bas de fil gris, tu vas aller me chercher un petit verre de fine ? »

Il faisait beau, mais il y avait du vent. Ils étaient tout en bas du paysage comme un léger détail pittoresque autour de la table de bûches croisées dans le jardin du restaurant. Le restaurant était assez loin et la serveuse n'entendait pas quand on appelait dans ce pavillon à trois marches avec un estaminet, et une aile rajoutée pour les banquets, fermée depuis la guerre, et un appentis de jardinage de l'autre côté. C'était un jardin touffu, désordre, drôlement compartimenté par des ifs jadis taillés, avec des plantes vivaces dont personne ne sait le nom comme des sagaies vertes, des sortes de joncs aux feuilles frisées montant à hauteur d'épaule. Toutes les tables étaient vides, sauf la leur, sauf là-bas, à l'écart près d'un caillebotis bleu, passé la table ronde, où s'étaient assis côte à côte, trop grande pour eux, deux Français dont l'un avait posé à terre une serviette de cuir; l'autre avec des bottes noires et une vieille culotte beige de démobilisé; le premier, on voyait mal derrière la table.

Mais tout ça, c'était simplement un détail en bas du paysage. Et que Lotte, grise, avec sa chemisette blanche, ses bas de fil, louchait sournoisement vers les deux gaillards qui buvaient du vin blanc, et faisaient un peu semblant de la reluquer, parlant d'autre chose. Et que le Commandant von Lüttwitz-Randau jouait avec le grand chien roux en allant vers la cuisine pour commander deux verres de fine. Un détail au bas du grand paysage français, dans le fond de la vallée où coule une large rivière dauphinoise, grise même l'été, sévère avec ses îlots de pierre, ses détours brusques, ses ponts de fer. D'un côté par des fouillis d'herbages, des champs secs, une perspective trompeuse, la vallée, en face, au-delà de ce torrent démesuré, abordait les pentes rapides de la montagne. Et il fallait lever haut les yeux pour en voir les bords dentelés, éperdus, sur le ciel, comme un feston irrégulier, avec ses créneaux d'usure, et des ruines qui semblaient singer les pierres des hautes carrières, une tour sur une avancée de terre, en éperon, étrangement percée à jour sur l'air vide. Un panorama surplombant de pierrailles et de crêtes, avec des allures d'immense ossuaire où l'on découvrirait soudain à la faveur d'un jeu solaire les restes d'animaux antédiluviens, de monstres calcaires. Depuis les temps glaciaires, ces pentes décharnées ont vu passer des catastrophes, ont éprouvé des séismes, assisté aux batailles du ciel et de l'homme. Elles ont connu les avalanches de peuplades, les invasions, les fuites des tribus paisibles, elles ont vu grimper à leurs flancs des poursuivis, des criminels et des innocents. Combien de fois par cette coulée des Alpes sont descendus des charrois étrangers, remontés de grands hommes blancs avec des couteaux et des piques ? Quelles chansons sont mortes au fond de la vallée de siècle en siècle ? Et il y a eu des guerres de religion, la bataille des hauteurs et de la plaine qui n'avaient pas la même idée de la Vierge Marie ; et il y a eu la grande ivresse des montagnards pour le mot Liberté, quand là-bas vers Grenoble les paysans et les bergers juraient sur des épées croisées à des houlettes un serment qui précéda tous les Jeux de Paume et tous les Droits de l'Homme. Par ici, par ces hauteurs arides et blanches, a retenti la cla meur d'un peuple contre la tyrannie, le cri du guetteur au guetteur quand dans les villes des coalitions obscures méditaient de rejeter au servage ceux qui avaient répondu à l'appel des montagnes.

Un immense paysage aveugle comme l'histoire, avec tout en bas, sur la rive droite de la vallée, derrière les palissades, ce jardin à ton-

nelles du restaurant où un chien roux sautait
pour avoir du sucre d'une main allemande, et
deux compères faisaient mine de s'intéresser
aux bas de fil gris d'une souris.

Derrière eux, tout le coteau remontait molle-
ment vers un plateau à étages par des potagers,
des champs plantés de pêchers, des routes aux
haies vert sombre. On y sentait l'approche de
la ville, la banlieue avec ses postes d'essence,
ses guinguettes fermées, le cheminement de
camions poudreux qui toussaient. Et puis, vers
l'ouest, commençaient les maisons, enserrant
le parc, se nouant d'avenues, formant des pâtés
blancs aux toits gris et rouges, les quartiers
neufs où passe en cornant l'autocar bleu, les
magasins qui croissent avec les immeubles jusqu'au building de l'Uniprix où l'agent de la circulation force les voitures maraîchères à un
détour par le sens unique, jusqu'au cœur mys-
térieux de la vieille ville, suante et sale, où gla-
pit une marmaille noire. L'œil qui cherche à
déchiffrer ce paysage vainement s'y perd, et
à peine remarque ces voitures qui courent
comme le vent parce qu'elles marchent à l'essence et emportent des officiers casqués de
vert avec des dessins bruns. L'œil qui fouille
cette tapisserie n'y aperçoit qu'à grand-peine
les W, les K, les Z, écrits à des pancartes de
bois découpé, clouées au pied des platanes, ou
à l'angle des édifices. L'œil regarde au loin
flotter des fumées, révélant de petits villages
au bout du monde, où l'envahisseur n'a point
eu accès encore, et où Dieu sait quelles pensées

mûrissent, quelle conjuration de houlettes et d'épées…

«Kätzchen!» cria Lotte Müller, plus par coquetterie et pour dire aux deux polissons de se dépêcher de se rincer l'œil, que par envie de voir revenir à toute vapeur M. von Lüttwitz-Randau qui avait laissé tomber son lorgnon en jouant avec le chien roux.

Des deux gaillards, l'un, celui qui avait une culotte beige et des bottes, et qui ne perdait pas la souris de l'œil, faisait à l'autre un rapport qui nécessitait de temps en temps qu'il consultât un petit carnet, dont il décollait les feuillets avec son pouce léché. L'autre approuvait, l'interrompait pour une question. Il avait repris sa serviette de cuir sur ses genoux, il y fouillait.

M. von Lüttwitz-Randau revenait apportant lui-même le plateau de métal blanc avec les minuscules verres à double fond où la fine était dorée. Du haut des trois marches, la serveuse, les poings sur les hanches, s'étonnait de l'esprit démocratique de cet officier. Des paroles allemandes et les rires de Lotte vinrent à travers l'espace semé de petit gravier et de tables en rondins jusqu'à la table où les deux hommes parlaient à voix presque basse.

«Regarde», dit soudain le deuxième.

Et sous la serviette de cuir luisait le canon d'un revolver.

«… Regarde, tu sais que je suis un tireur de première…»

L'autre se tourna vers lui en fronçant le sourcil.

Je ne suis pas bien sûr qu'il ait froncé le sourcil, c'était un si petit détail de l'immense paysage avec la rivière et les montagnes, et la légende et l'histoire, et les guerres de religion, et celles de la liberté.

«Tiens-toi tranquille, Philippe!» dit-il, en frappant du pied le petit gravier blanc.

Et le soleil joua dans sa botte noire.

«Cela ferait, dit Philippe, deux si beaux mac-chabées, tu peux me croire...

— Nous ne sommes pas ici pour cela, Philippe, pensez-y un peu. De la discipline. Cela pourrait faire échouer tout. Une autre fois.

— Dommage», soupira Philippe, refermant sa serviette.

Et il leva les yeux vers les châteaux en ruine sur les crêtes, comme pour fuir la tentation de ce couple qui folâtrait à portée de balle, et se jetait des fines derrière la cravate, avec toute sorte de glapissements et de rires, tenant de M. le Chef de la Corporation Paysanne qu'au fond on les aimait bien dans le pays.

*

Ah, je m'ennuie dans cette petite ville française!

Comme nous sortions du «boui-boui», Kätz-chen avait laissé tomber son lorgnon. C'est bien son genre! C'est lui pourtant qui a vu Willi le premier. Il ne peut pas le souffrir, cet Oberleutnant qui m'a prêté ce livre français... oh, je me rappelle le nom de l'auteur! Lud-

wig... Ludwig-Ferdinand Tséline! Willi était
en civil. Très bien habillé. Où a-t-il trouvé ce
tissu anglais? Si c'est ici, il faudra que je lui
demande: je pourrais me faire faire un tail-
leur, ce n'est pas mon genre, mais ça a tout de
même du chic, ces tissus anglais. Kätzchen est
devenu tout pâle. Il a peur de la Gestapo, c'est
plus fort que lui.

Willi, avec ses yeux très spéciaux, nous a
demandé ce que nous faisions là. Et lui? Il
guettait des terroristes. Nous devrions prendre
garde, dans les lieux isolés, avec les terroristes.
Kätzchen n'a pas marché dans cette histoire de
terroristes. Il a dit que c'était clair, Willi le sur-
veillait. Les gens d'ici ne nous veulent aucun
mal. Le Dr Grimm l'a dit. Les terroristes, il y en
a peut-être dans la montagne, qui se cachent.
Ici, ce n'est pas le genre. Moi, je n'ai rien dit.
Je sais bien que Kätzchen a raison. Seulement,
ce n'est pas du service, de la part de Willi. Il
tourne autour de moi, voilà tout. Je m'ennuie
tellement que je vais peut-être me laisser faire
la cour par lui. Que Kätzchen n'en sache rien!
Il en ferait une maladie.

Il est insupportable à la fin. L'autre fois,
pour la conférence du Dr Grimm, il n'a pas
voulu être avec moi. À cause de sa Trude qui
est la cousine... S'il savait ce que je me fiche
de sa Trude! Il refuse obstinément de m'invi-
ter à déjeuner à la *Cloche d'Or* où il y a les officiers de l'aviation. Cette Hilda qui n'est pas la
plus jolie d'entre nous m'a raconté l'autre jour
sous la douche: elle a été invitée à la *Cloche*

d'Or et il y avait les officiers de l'aviation, et l'un d'eux lui a offert une broche en or. Elle m'a montré la broche en or. Ce n'est pas une belle broche en or. Mais enfin, de l'or, c'est de l'or. Un bijou provincial. Il doit venir d'une femme de notaire. Je ne sais pas qui écrirait à Trude que j'ai déjeuné à la *Cloche d'Or,* mais Kätzchen ne veut pas en entendre parler. Il a tort. Je finirai par me faire faire la cour par Willi. Ses yeux spéciaux m'intéressent.

Je m'ennuie dans cette petite ville! Pour une fois qu'il se passe quelque chose, lundi matin on a exécuté cinq otages, j'aurais pu aller voir ça et je n'en ai rien su! J'ai fait une scène à Kätzchen. Willi m'a dit qu'il m'emmènerait la prochaine fois. Je n'étais pas faite pour vivre comme ça. Ce n'est pas du tout mon genre. Rien que comme nous sommes habillées, ces chemisettes empesées, cette jupe droite, ce genre homme... Mon genre à moi, ce sont les falbalas, les chichis, les frous-frous, la dentelle. Quand je rêve, je me vois comme ces actrices des films qui brusquement chez des gens très bien relèvent leurs jupes et se mettent à faire des claquettes. Avec beaucoup d'hommes autour d'elles. Et puis en robe de soie avec un chapeau haut de forme et une cravache. Ou dansant avec une longue robe qui monte en tournant, montrant les jambes (j'ai les cuisses un peu fortes), et des bottes molles et pas de bas. Mais tout ici manque terriblement de musique. Musique, musique, musique! Peut-être que l'Amérique serait mieux mon genre.

Le jazz, c'est tout à fait dégénéré, négroïde : n'empêche. Dommage que notre armée n'aille pas jusque-là. On nous avait tant parlé de la France. Ce n'est pas du tout mon genre. Enfin, j'espère que la guerre durera assez longtemps pour que nos savants inventent un moyen de transporter notre armée en Amérique. En attendant...

S'il y avait un endroit où aller écouter la musique, Kätzchen ne m'y mènerait pas pour ne pas se faire remarquer. À quoi cela sert-il, un homme, je vous prie, si ce n'est pas à vous tenir la main pendant qu'on écoute la musique ? Mais il n'y a pas d'endroit où aller écouter la musique dans ce pays mortel, mortel.

Le seul amusement décidément, c'est le tribunal. L'autre jour, j'y ai eu un petit frisson. On avait amené une femme. Affreuse. Tout à fait vulgaire. Comme on en voit au marché, sur le boulevard. Entre deux âges. Quand Kätzchen l'interrogeait, elle ne répondait pas. Elle avait été arrêtée en liaison avec un sabotage, la voie ferrée à la sortie de la ville. À la fin Kätzchen s'est fâché. Alors elle a ouvert la bouche et elle nous a montré sa langue. Au cours d'un interrogatoire, elle se l'était coupée pour ne pas parler. Je ne comprenais pas pourquoi elle n'en était pas morte, ça saigne affreusement une langue. Bubi m'a dit. Une histoire du front oriental. Willi m'a expliqué : nous l'avons très bien fait soigner tout de suite, par le chirurgien, pour la punir, qu'elle vive avec sa langue coupée. Cet imbécile de Kätzchen l'a fait fusiller.

Il y a eu aussi quelques coups de feu la nuit : des voitures qui circulaient malgré le couvre-feu. Il y a des gens stupides. Ils ne connaissent pas les Allemands, ou qu'est-ce qu'ils croient ?

Tout cela ne nous donne pas de musique. J'ai besoin de musique. La radio de l'*Hôtel Métropole* ne me suffit pas. À Lyon, au moins, on danse. Je m'ennuie trop. Kätzchen m'a surprise parlant avec Willi, il a fait une scène ! C'est devenu son genre, les scènes. Je le lui ai dit, cette fois Willi me parlait... c'est tout... Mais si on ne fait rien pour me désennuyer, je ne promets pas... Kätzchen a dit de très gros mots, puis il s'est radouci. Il m'a promis de m'emmener faire un petit voyage, à la campagne. Le temps est devenu très beau. Il paraît que du côté de... je ne sais plus comment... le paysage est tout à fait romantique. Une heure de train, une heure et demie.

Évidemment, là-bas, ni Willi ni Trude ne sont à craindre. En attendant, un peu de musique ne me ferait pas de mal.

*

Fräulein Lotte Müller, un peu de musique ne vous ferait pas de mal... Fräulein Lotte Müller, êtes-vous sourde que vous n'entendez pas la musique ? Il y a des jours où elle se lève de la terre et parcourt la ville et le ciel comme un grand vent, et les portes claquent, des papiers s'envolent, vous tenez vos jupes, et vous n'entendez pas la musique ? Il y a des jours où c'est un simple filet de chant, une corde pincée qui vibre, un souvenir qui meurt. Le soleil de mai déjà fait bourdonner le grand paysage paisible, des insectes sortent avec les fleurs, et les mouches, invinciblement attirées par les êtres humains comme si déjà elles en sentaient le cadavre, murmurent les premiers accords d'une marche funèbre. On ne fait encore qu'accorder les violons dans la fosse...

Fräulein Lotte Müller, êtes-vous sourde que vous n'entendez pas la musique qui vient ? Il y a des jours où la musique est plus forte que le bruit raisonnable de la vie, plus forte que le train-train de la petite ville où vous vous ennuyez si fort, Fräulein Lotte Müller... écoutez, écoutez la musique...

Il y a d'abord le *lamento* sourd des prisons d'où s'élèvent les plaintes déchirées d'instruments inconnus qu'on appelait des hommes... Il y a le bruit des os broyés, le grésillement noir des chairs, le concert des tortures, les cris de la douleur morale si différents de ceux de la douleur physique, la basse rythmée des coups, le chant du sang clair qui jaillit, les larmes, les larmes, les larmes...

N'entendez-vous pas la musique, Fräulein Lotte Müller, et prenez donc la main de votre amoureux pour l'écouter, comme dans les petites villes allemandes, le dimanche, quand à la Bierstube vous vous enivriez de l'orchestre de femmes devant un grand verre guilloché de Münich brune et froide...

C'est un nocturne maintenant, le nocturne

de l'inquiétude, où dans les demeures noires on n'ose pas même raviver les brasiers, on écoute les pas des rondes dans la rue, les craquements de l'escalier, on attend, à chaque bruit de la porte, la police. Un nocturne où les battements du cœur sont l'accompagnement mal éteint de l'attente... Que va-t-il se passer, que va-t-il sourdre de ce nocturne sourd, quel chant qui ne se décide pas ? Dans l'ombre, des ombres ont glissé. Les volets sont clos comme des bouches. Les soldats repassent dans la rue.

Oh ! n'entendez-vous pas, n'entendez-vous pas la musique ?

Il éclate des coups de feu, et des voitures à toute allure forcent le passage devant l'Uniprix où il y a sens unique. Les vantaux d'un garage volent en éclats, des autos se sont évadées dans la nuit. À la porte de l'hôpital, des inconnus se sont présentés réclamant un détenu, blessé, et ils ont abattu les deux miliciens de service. On a fait sauter le siège du S.T.O. Les viandes gardées par des gendarmes pour Messieurs les Occupants ont disparu du frigidaire municipal. Le train de munitions qui stationnait à deux kilomètres de la gare a lancé trois wagons en l'air, et toute la nuit et tout le lendemain des projectiles ont fusé sur les champs. Dans le mystère des maisons, des hommes traqués ont trouvé asile. Malgré les affiches, les avis tambourinés, les placards dans les journaux, les otages fusillés. Vers une heure du matin, dans des prés choisis, de grands oiseaux noirs ont lâché des paquets et de petits hommes soutenus sous les épaules par de grands parapluies de soie rose, verte, bleue, rouge ou blanche. L'aube trouvera sur les maisons des traîtres une potence dessinée, et des phrases aux carrefours que les musiciens n'avaient pas prévues dans la douce, vieille musique allemande...

N'entendez-vous pas la musique, Mademoiselle la Souris, n'entendez-vous pas...

Ce professeur du lycée qui plus que la France aimait l'Allemagne, ou du moins le disait voulant devenir Dieu sait quoi par le truchement de ces organisations nouvelles dont les initiales s'écrivent aux vitrines au milieu de photographies représentant la joyeuse et belle vie des ouvriers français à Düsseldorf ou à Stettin, ce professeur du lycée imprudemment s'est avancé sur la route dans la direction de Trois Étoiles où il était connu d'anciens élèves, et on lui a tiré dessus si maladroitement qu'on l'a manqué. Il habite désormais à l'*Hôtel Central*, où il n'y a plus d'Italiens, mais où la Gestapo a des chambres, et il n'en sort qu'habillé d'un uniforme du régiment de Silésie, ils n'oseront pas, pense-t-il, tirer sur un Allemand, et comme cela tout le monde comprend la musique. Mais le garagiste à l'entrée du faubourg, à côté vous savez de l'épicerie bleue, eh bien, comme il fermait ses portes vers le soir, un jeune homme s'est avancé qui a tiré avec une arme noire, et la balle est entrée par un œil, on ne sait pas encore s'il va survivre, il sera aveugle en tout cas, et fou sûrement. On a mis devant les immeubles occupés par la Milice des chevaux de frise entortillés de barbelés, les sentinelles qui ont dans les seize ans se dandinent de peur, l'oreille au guet, tâchant d'entendre les premiers la musique, la musique, la musique...

Le marchand de peaux de lapins agitant sa cloche, un petit rouquin avec des bleus, qui traîne une bécane, raconte qu'il passait dans la rue, vous savez, celle où il y a la maison de rendez-vous, et voilà pan pan, la musique, des P.P.F. qui se battent avec des dissidents, une bataille rangée, cachés derrière une borne, un à plat ventre qui tirait... Le patron du claque, un père de famille, un homme très bien, qui sortait par hasard, pour voir enfin, une balle en plein cœur... La vitre de la pharmacie a été brisée, et le liquide bleu du bocal a coulé... Oh la la... Le marchand de peaux de lapins agite sa cloche...

La musique, la musique, Fräulein Lotte Müller, ne fait que commencer dans cette ville bourrée de soldats verts et gris, de souris aux chemisettes empesées, aux bas de fil. Mais déjà elle emplit tout autour de la ville le vaste paysage immobile et muet, elle y tourne, elle y monte, elle s'y déverse, avec les vents subitement levés d'un printemps tardif, elle ébouriffe la campagne où s'éveillent les maisons abandonnées, où les ruines se peuplent de jeunes fantômes et d'écoles à feu, où les pylônes sautent par miracle, les voies sont à tout instant coupées, l'autre jour on a attaqué le champ d'aviation, déjà vos gens n'osent plus aller chercher les bœufs chez les paysans, du bois à gazogène au village trop voisin du maquis, ni les garçons marqués pour être emmenés en Allemagne, et qui se moquent de vous, qui se moquent de vous… ils n'osent pas de peur d'entendre la musique… la musique… la musique…

Allez, allez, ce n'est qu'un petit prélude encore… le grand orchestre ailleurs exercé se rassemble et la musique, la musique va jaillir !

*

Il faut bien faire les quatre volontés de Lotte. Puisqu'elle avait décidé que nous devions aller à la campagne, comme on m'avait indiqué un petit hôtel, tout à fait convenant à des amoureux, alors je n'avais plus qu'à m'exécuter. C'est ce professeur de mathématiques qui a eu des ennuis parce qu'il a trop bon cœur et qu'il dit ce qu'il pense, qui m'a donné l'adresse. Il porte notre uniforme maintenant : on dirait qu'il l'a toujours porté.

Elle faisait exprès, la Lotte, de m'irriter avec cet Oberleutnant. Cela m'agace qu'elle l'appelle Willi. Il a des yeux que je n'aime pas. Naturellement, c'est lui qui lui a raconté cette histoire. Elle faisait comme si c'était quelqu'un d'autre. Mais qui lui aurait dit, sinon ce Willi, puisque c'est lui qui, étant entré chez ces Juifs, le matin, alors qu'ils étaient l'homme et la femme, dans leur cabinet de toilette, le verrou mis, a tiré à coups de revolver dans la porte sans rien demander d'abord ?

On n'a pas retrouvé le mari qui se rasait et qui a dû partir en pyjama avec la mousse au menton par la fenêtre et les toits. Mais si ce n'était pas son Willi, qui aurait pu donner à Lotte tous les détails sur la femme dans sa baignoire tuée? Ce petit Oberleutnant a la main heureuse avec les Juifs.

Nous avons décidé de partir après la séance du tribunal. Séance tout à fait banale. Deux condamnations à mort. Un seul incident. Ce cas que je n'avais pas compris. Quand on a devant moi amené cet homme, hideux à voir, avec ces meurtrissures sur le visage, et qui ne tenait pas sur ses pieds, j'ai lu le dossier, un peu pressé, craignant de manquer le train. Il avait été pris pour avoir fait feu sur le maire d'un petit village qui pratiquait une réquisition. En quoi est-ce que cela nous regardait? Les Français n'ont qu'à se débrouiller entre eux! Du moment que ce n'était pas un de nos hommes... Mais on me fit remarquer que c'était un Alsacien. Cela changeait tout. Je lui ai demandé pourquoi il levait la main contre sa Patrie? Il m'a répondu en français, quelle audace! en français: «Ma Patrie, c'est la France...» Le soldat qui était à côté de lui lui a craché au visage.

Avec tout cela, nous avons failli manquer le train. J'ai, en arrivant à la gare, laissé tomber mon lorgnon. Lotte a dit que c'était mon genre, l'a ramassé, nous avons couru, elle m'a heureusement guidé. Nous sommes montés juste quand le train partait. Ces petits chemins de fer d'intérêt local sont très curieux, bien français, mesquins. Dans notre compartiment de première, *nur für die Wehrmacht*, nous étions seuls. De temps en temps, à un arrêt, quelqu'un ouvrait et refermait précipitamment la porte. Nous avions emporté un poulet, parce que la séance du tribunal se terminait à midi et le train était à midi quinze. Et du fromage de chèvre, et des fruits. Juste une collation. Lotte avait reçu une lettre de son fiancé qui est sur le front oriental avec les armées européennes. Alors elle ne parlait plus de Willi, mais c'est avec son Bubi qu'elle m'agaçait. Il faisait chaud. C'était la première journée de vraie chaleur. Je me suis mis à somnoler. Lotte était là, à relire sa lettre.

Tout à coup, je me réveille avec l'idée : si je laisse passer la station ! Je dis à Lotte : fais attention, la station s'appelle... je lui dis le nom, elle est incapable de le répéter, je le lui écris sur un petit bout de papier, je me rendors.

Je ne dormais pas vraiment. Je rêvais au droit romain. J'ai été professeur de droit romain. Mais, pour faire primer le droit germanique, il faut, c'est mon point de vue, effacer dans le monde moderne toute trace du droit romain. Le droit romain comme base des lois modernes, c'est une absurdité révoltante et contraire à l'esprit allemand. Je ne parle pas du Code Napoléon : qu'il y ait des subsistances dans les lois allemandes du Code Napoléon juge ces lois. Le Führer a été tout à fait inspiré d'anéantir toutes les lois, ce qui permet de rebâtir dans des conditions vraiment allemandes un droit qui n'a pas besoin de code. Il n'y aura jamais de Code Hitler. Parce que la pensée du Führer ne peut être codifiée, elle.

Il faisait chaud. J'avais déboutonné mon col. Les mouches tournaient autour de nous. Nous étions arrêtés dans une petite station. On ne repartait pas. Je demandai à Lotte si elle était sûre que nous n'avions pas laissé passer la bonne gare. Elle dit que non, elle avait le papier à la main, elle n'avait pas vu ce nom-là.

Cependant, il était plus de trois heures. Je m'inquiétais. Le train ne repartait pas. Si j'allais voir ? Je descends. Je fais tomber mon lorgnon, cette fois je le ramasse tout seul. Une petite gare au pied des grandes montagnes. Une sorte de village sur une colline... Je demande à un employé. Il ne me comprend pas. Il me dit quelque chose avec un accent si fort que je ne comprends pas non plus. Ah, il ne parle pas comme le Dr Grimm le français !

Enfin, je vais voir le chef de gare. Il me fait répéter trois fois le nom de la gare où nous allons. Il regarde mon billet. Ah, bien ! Nous nous sommes trompés de train. C'est une autre ligne. Ici nous sommes à N... Non, pour aller où nous allions, il faut revenir au point de départ. Il n'y a de train que demain matin. C'est le terminus. Et même pas demain matin, après-demain. Parce qu'avec les dernières restrictions imposées par les Autorités Occupantes, il n'y a de trains que les mardis, jeudis et samedis dans ce sens-là.

Je retourne auprès de Lotte, je lui explique. Elle descend. Elle n'est pas fâchée du tout. Il y a bien un hôtel ici. Oui, mais... J'avais pris un jour, parce que le mercredi il n'y a pas Tribunal. Mais nous ne serons pas là-bas le jeudi matin... Et puis N..., c'est près de N... qu'il y a eu cette échauffourée l'autre semaine. Il y a des terroristes par ici. Sept otages exécutés.

Elle dit que je parle comme Willi.

Moi, ça ne fait pas mon affaire qu'on remarque notre absence. Elle, elle s'en fiche. Mais moi. Je vais demander au chef de gare. On peut peut-être avoir une voiture. S'il veut téléphoner.

Le chef de gare avait des joues rouges, une moustache noire et les épaules voûtées. Une casquette de chef de gare français. Lotte n'a pas eu beaucoup de succès auprès de lui. Il devait avoir peur. Elle lui posait des questions. Il répondait oui et non. Je lui ai demandé s'il ne pouvait pas téléphoner aux autorités allemandes. Aux autorités allemandes, non. Mais aux autorités françaises, oui. Qui communiqueraient la commission aux autorités allemandes. Leur dire, n'est-ce pas, que le Commandant von Lüttwitz-Randau...? Le chef de gare me fait écrire mon nom sur un bout de papier et le déchiffre avec beaucoup de peine : won Lüte... Lüte... wisse-Randô... c'est cela ? Vous demanderez une voiture, qu'on vienne nous chercher.

Il avait encore un de ces téléphones qu'avec une manivelle on tourne. Allô... allô... Cela prit quelque temps. Je l'entendis dire qu'il avait là un commandant allemand avec une dame, sa secrétaire. Si on voulait venir les chercher avec la voiture...

Il sortit de la cabine et dit :

« Ils viendront vous chercher avec "la voiture"... »

Lotte bâillait. Il faisait très chaud. Il y avait des mouches. Au moins une heure et demie à attendre. Ce voyage n'était vraiment pas réussi. Le chef de gare était très poli. Il insistait pour que Lotte et moi nous nous asseyions dans son bureau. La gare était déserte, à part l'employé, le chef et nous. Lotte s'ennuyait visiblement. Qu'est-ce que j'y pouvais ?

« La prochaine fois, dit-elle, j'emmènerai Willi avec nous... »

Je préférai ne pas répondre.

*

« Vous vous appelez Lüttwitz-Randau, vous êtes juge militaire avec grade de commandant ; membre du parti national-socialiste...

— Laisse-le parler ! » dit le grand brun.

Quand les gens du maquis étaient arrivés à la petite gare, ils n'avaient eu aucune peine à se rendre maîtres de l'officier et de sa souris, d'enlever son revolver au Commandant, de les pousser dans la voiture, une traction avant noire. Des gars solides, avec des blousons de cuir provenant du coup de main fait à une usine de Voiron qui avait alimenté presque toute la Drôme. Pas du tout des Français

comme Lotte se les représentait. Le grand
brun qui ne disait pas un mot lui parut très
beau garçon. Il y en avait un blond tout jeune,
avec des épaules très larges ; et un trapu, qui
pouvait avoir trente ans. Elle avait eu peur
quand le petit avait flanqué son pied quelque
part à Kätzchen, tout à fait ahuri, et qui regardait autour de lui dans l'espoir que l'armée
allemande allait surgir à leur secours. Mais
vite, elle s'était rassurée : ils étaient presque
polis avec elle. Elle se rappela ce SS qui avait
couché avec une Juive, et se dit : «Alors, pourquoi pas ? »

Maintenant ils étaient dans cette maison vide,
sur la montagne, après avoir roulé une demi-
heure, trois quarts d'heure, lâché la route, marché droit à travers un champ. Il faisait encore
grand jour, mais déjà c'était la lumière du soir,
les rayons qui rasent la terre. On entendait for-
midablement chanter les cigales, chaque fois
que les hommes se taisaient. Cela se passait sur
une sorte de balcon-terrasse, au-dessus d'une
réserve, avec un escalier qui descendait au-
dehors pour aboutir sur l'aire de la ferme abandonnée, où le poteau de meule portait un
chiffon tricolore amené au bout d'une corde. Le
paysage de partout découvert, sans arbres, avec
des bruyères coupées d'une terre jaune, et
la corniche d'un chemin à cinq cents mètres
décrivant un double lacet qui avait l'air d'un W
couché.

Le chef du maquis était un géant à la tête
ronde, avec une petite bouche enfantine au-

dessus d'un grand menton. Il devait peser dans les deux cent vingt livres. Il avait l'air d'un gardian de Camargue. Il enseignait le latin et le grec du côté de Saint-Flour, en réalité. Assis derrière la table, il présidait l'interrogatoire. Le grand brun qui avait été à la gare et qui plaisait à Lotte se tenait à sa gauche, debout, les bras croisés. À sa droite il y avait un prêtre en soutane, la soutane ouverte sur une culotte de chasse avec des bottes et un fusil en bandoulière. Lotte était dans la maison. Deux ou trois fois, on l'avait entendu nerveusement rire.

«Je suis membre de la Parti, dit avec application le Commandant von Lüttwitz-Randau, cherchant bien tous ses mots en français, depuis juillet 1934, juste après le 30 juin…

— C'est l'assassinat de Röhm qui vous a décidé? ricana l'interrogateur.

— Laisse-le parler, Jean-Pierre!» dit le grand brun avec reproche.

Le Commandant regardait les trois hommes comme un soldat qui mesure le terrain. Il assura son lorgnon sur son nez et respira profondément.

«Je suis entré dans la Parti, au lendemain de l'exécution de Roehm et de ses complices, dit-il en se donnant du temps par une diction lente, parce que j'ai alors tout de suite compris qu'il fallait des juristes pour, à la lumière de ce fait d'une importance historique… *wie sagt man?* réviser entièrement, *wiederaufbauen…* réédifier le droit allemand.»

Le prêtre, un maigre avec un grand nez et des bras noueux, sifflota d'un air ironique et se mit à se curer les ongles avec un bout de branche qu'on lui avait vu d'abord soigneusement tailler. Le prisonnier se tourna vers lui :

« Peut-être ceci n'a-t-il pas d'importance pour des terroristes... mais le Droit est le Droit...

— Qui sont les terroristes ? demanda Jean-Pierre avec un très beau mouvement de la tête, d'où ses yeux eurent l'air de sortir, bleus à la manière du plomb. Je suis le capitaine Jean-Pierre, de l'Armée française, et...

— Laisse-le parler, dit le grand brun.

— Excusez-moi, reprit le Commandant, vous êtes pour nous des terroristes qui, contrairement aux lois de la guerre et aux conditions de l'Armistice...

— Pour vous ? Qui, vous ? Quel Armistice ? Nous faisons la guerre à l'Allemagne depuis septembre 1939. Les lois de la guerre... depuis quand y a-t-il des lois de la guerre qui autorisent l'exécution des otages ? Vous êtes, vous, les terroristes, et c'est comme tels, comme contrevenant aux lois de la guerre, que vous serez, ici, régulièrement jugé...

— Laisse-le donc parler, dit le grand brun.

— Excusez-moi, dit le Commandant, on nous a toujours dit que vous étiez des terroristes...

— Et vous le croyez, naturellement, comme vous croyez tout ce qu'on vous dit... et quelle sorte de terroristes a mis feu à votre Reichstag, alors ?

— Les communistes, dit Lüttwitz-Randau très fâché, Van der Lubbe, Dimitrov... »

Cette fois, ce fut le grand brun qui l'interrompit :

« Dimitrov ! Mon Commandant, vous nous prenez pour qui ? Voilà que vous accusez un homme que vos tribunaux ont reconnu innocent, que vos tribunaux ont acquitté...

— C'est justement, dit Lüttwitz-Randau, en ce temps-là nos tribunaux étaient encore infectés par le droit romain, le Code Napoléon, les lois juives... Aujourd'hui, jamais nous n'aurions laissé repartir Dimitrov, il aurait été condamné... selon le droit allemand. »

C'était une étrange scène. L'abbé avait à peine fini de passer sa brindille taillée sous le dixième ongle, qu'il reprenait le neuvième, le huitième... Il dit :

« Mon Commandant, pourquoi voulez-vous que nous reconnaissions votre droit allemand, si vous trouvez que le Code Napoléon est un code de lois juives ? Mais la question n'est pas là : combien avez-vous fait mourir d'êtres humains selon votre droit allemand ? »

Le Commandant détourna la tête et ne répondit pas. On entendait, dans la maison, la voix de Lotte, sans pouvoir distinguer les mots. On l'interrogeait séparément. Le Commandant pensa qu'elle était capable de le charger pour s'en tirer :

« Je n'ai jamais tué personne... protesta-t-il, à la réflexion... Je suis un magistrat qui applique les lois..

— Quelles lois? rugit Jean-Pierre. Votre Führer a aboli toutes les lois…

— Notre Führer, dit l'accusé, considère comme la loi l'intérêt de l'Allemagne…

— Ce n'est pas, coupa le grand brun, l'avis du Maréchal von Paulus.

— Le Feldmarschall von Paulus est mort. Notre Führer a dit que le Feldmarschall von Paulus était mort… »

L'abbé jeta sa brindille et éclata de rire :

« Il est mort suivant les lois allemandes, hein? Et ceux qui disent le contraire sont des terroristes ? »

Le Commandant prêtait de plus en plus nerveusement l'oreille aux bruits qui venaient de la maison. On avait entendu d'abord une sorte d'engueulade violente, puis des pleurnicheries, et maintenant Lotte parlait, parlait, parlait… Qu'est-ce qu'elle pouvait bien leur dire ? Il y avait entre cet homme et ses juges un mécompte fondamental : c'était que lui considérait l'obéissance et la fidélité à son Führer comme la justification de tous ses actes, comme le point de droit qui le soustrayait à l'examen de toute justice. Tandis qu'eux considéraient cette inféodation, cette passivité, comme une aggravation de cas, comme une preuve de culpabilité. Tandis qu'eux, au fond, ils lui donnaient sa chance en lui permettant de dire que tout cela, tout ce qu'on pouvait reprocher non pas seulement à lui, Commandant von Machin-chouette, mais aux Allemands, tous les Allemands, c'était en fait leur

Führer et, comme il disait, la Parti, qui en étaient responsables, tous les crimes, les otages fusillés... Ils le lui permettaient d'une façon sans doute abusive, cela aurait été si simple pour lui s'il avait seulement compris de quoi il s'agissait, de s'en tirer simplement d'un mensonge. Le mensonge ne l'effrayait pas. Si c'était son intérêt, ce qu'il appelait l'intérêt de l'Allemagne. Le mensonge faisait partie du système. Mais le malheur, pour Lüttwitz-Randau, était qu'il ne sût pas comment il fallait mentir. Il était pris au piège de son propre système. Il le jouait à la grandeur, à la fidélité nationale-socialiste. Il ne pouvait pas comprendre qu'il aurait sauvé sa peau en désavouant le national-socialisme. Sa peau à laquelle il tenait tant, et qu'il croyait mise en danger par ces paroles indistinctes d'une femme, là-bas, dans la maison, tandis qu'en réalité, c'était lui-même, c'étaient ses propres paroles qui le condamnaient, qui le perdaient. Sa défense. Ce système juridique qu'il préparait pour les mauvais jours, pour sortir l'Allemagne d'affaire dans les mauvais jours. Et qui faisait que l'Oberleutnant Willi, de la Gestapo, le tenait pour un défaitiste. Le système qui donnerait à l'Allemagne vaincue l'allure qui en impose au vainqueur, la dignité du combattant qui n'abdique pas. Etc.

Pour l'instant, seul, Lüttwitz-Randau était dans un mauvais cas, et il faisait l'essai de son système. Mais il y avait la Lotte, là-bas. Et l'inquiétude qu'elle lui donnait gâchait beaucoup de son attitude, creusait des trous dans ses réponses, des manques dans sa logique, qui faisaient doucement rigoler l'abbé.

*

« Inguérissable, dit Jean-Pierre.
— Inguérissable », dit l'abbé.
Et le grand brun reprit, décroisant les bras : « Inguérissable. »
Lüttwitz-Randau frémit. Cela lui rappelait quelque chose. Dans le Troisième Empire, si des médecins hochaient comme cela la tête, et tous déclaraient le malade inguérissable, quelque temps après la famille recevait une petite urne avec une lettre disant qu'on n'avait pas eu le temps de prévenir, mais que le cher malade avait trépassé... Cette fois pourtant, il craignait bien que ce ne soit pas l'euthanasie.
Ils l'avaient enfermé dans une petite pièce sans fenêtre où il y avait de la paille à terre, et une ouverture en as de carreau dans la porte par laquelle on voyait le ciel très jaune et très calme.
Ce qui paraissait le plus inconcevable au commandant allemand, c'était que, depuis tout ce temps, les terroristes avaient pu le garder, le promener, l'interroger sans une alerte. Que faisaient donc les Miliciens, les G.M.R. ? Sans parler de notre armée. Très souvent, on avait parlé, devant lui, de ces bandes réfugiées dans les montagnes. Il avait vu de ces forcenés au tribunal. Il en avait condamné à mort. Mais

jamais il n'avait imaginé leur vie de tous les jours, comme cela, libre. Avec l'espace pour eux, de grandes étendues du pays. Parce qu'enfin il était clair que la Wehrmacht, elle, n'occupait que des lignes, des voies de communication, des points stratégiques dans le pays. Mais dès qu'on s'en éloignait, le pays, le pays lui-même était entièrement aux mains de ces hommes. Ils avaient bien laissé une sentinelle aux abords de la route. Ils ne se cachaient pas. Ils ne semblaient pas se cacher. Ils avaient des voitures, de l'essence. L'essence surtout lui paraissait insensée.

Il attendait Lotte, qu'on jetât Lotte avec lui. Lotte ne vint pas. On entendait des voix au-dehors, dans la nuit tombée. Il y avait là une dizaine d'hommes. Ils mangeaient en plein air. Au dessert, une voix jeune chanta une chanson en provençal. Les cigales emplissaient le soir. Le cri doux des crapauds. Puis, dans l'as de carreau, clignotèrent les étoiles. Il y avait du va-et-vient au-dehors. Qu'avaient-ils fait de Lotte ? Il ne pensait pas un instant à Lotte avec attendrissement. Une femme comme toutes les femmes, le lorgnon retiré. De la fumée. Mais, bien qu'elle fût, elle aussi, du Parti, il n'était pas sûr de sa fidélité. Pas sûr de sa loyauté. Pas sûr du tout. Si en dernière analyse elle considérait qu'il était perdu, et qu'elle pouvait s'en tirer. Même dans un cas douteux. Aussi quand la porte s'ouvrit, et le grand brun lui cria: «Allez, là-dedans, sortez, mon Commandant!», il assura son lorgnon sur son nez, se plia pour passer la porte sans se cogner où ses cheveux moins épais cachaient un début de calvitie, et demanda :

« Est-ce que je puis savoir... ce qu'il, de ma secrétaire, advient ? »

Il avait, malgré lui, pris le ton qu'on a dans un couloir d'hôpital pour parler du malade en train d'être opéré dans la salle voisine. Le grand brun perçut vaguement la note fausse et haussa les épaules.

« Votre secrétaire... Je n'ai jamais vu quelqu'un se mettre à table comme ça.

— Se mettre à table ?

— Oui, jaspiner, quoi. On n'a pas besoin de lui demander les renseignements, elle les donne. Elle ne sait plus quoi faire pour nous plaire, ta petite fille. Il a fallu que je lui fasse attacher les mains, parce qu'elle était trop familière avec mes hommes. Et moi, je n'aime pas ça. L'abbé non plus. »

Le Commandant murmurait : se mettre à table, jaspiner... ce n'était pas de son vocabulaire. On le poussait vers un cercle éclairé assez théâtralement avec des flambeaux de résine, placés bas, qui jetaient une bizarre clarté sur tous les hommes du maquis, debout. Le Commandant eut peur. Il parla pour se rassurer.

« Lotte... ma secrétaire... est toujours là ? »

Il voulait gagner la sympathie du grand brun, en ayant l'air de trembler pour Lotte et non pour lui. L'autre répondit.

« T'en fais pas... Elle pionce maintenant...

Une jolie chienne... Comme toutes les femmes de chez vous... je sais... J'ai été prisonnier près de...»

Le Commandant n'avait pas entendu près d'où. Pour se faire bien voir, il demanda, avec un air d'intérêt hypocrite :

«Près de quelle ville ?

— Breslau... Des chiennes... Toutes vos femmes ! »

Le jugement allait commencer.

Jean-Pierre aimait la solennité. Il voulait frapper l'imagination de ses hommes. Satisfaire aussi leur passion de justice. Il y avait un acte d'accusation. Lotte avait parlé. Elle avait dit les deux condamnations à mort de la veille au matin : deux garçons pris sans armes, mais dont l'un avait une Croix de Lorraine. La femme à la langue coupée, l'autre jour. Des communistes de la gare, qui renseignaient sur les convois. D'autres. D'autres. Lüttwitz-Randau ne se souvenait pas d'avoir autant condamné à mort, tant d'hommes, des femmes, et encore d'autres, d'autres. Quelle mémoire, cette Lotte. Quel besoin avait-elle d'en dire tant. Il écoutait avec la sueur froide qu'on a la nuit.

«Alors, dit Jean-Pierre, accusé, vous avez entendu ? Qu'avez-vous à dire pour votre défense ? »

On ne voyait pas le visage blond avec les petites rides près des yeux. Des reflets des torches s'accrochaient pourtant dans les verres. L'homme était pris de court. Il n'avait pas ima-

giné cela. Sa défense. La défense de l'Allemagne… Une vieille phrase qui lui avait, qui
leur avait à tous beaucoup servi en 1940-41 lui
revint seule aux lèvres comme un hoquet: *Wir
sind doch keine Barbaren…*»

Tous les assistants se taisaient. Il n'y eut que
le rire si reconnaissable de l'abbé. Et Jean-
Pierre:

«Ah! vous osez, vous osez encore dire que
vous n'êtes pas des barbares? Après ce que
nous avons vu et que vous avez fait? Après ce
que nous avons souffert et que vous prétendez
nier? Et vous pourriez, là-dessus, mourir, et
mourir après tout comme les nôtres, fusillé,
en soldat, sur cette petite phrase, avec l'avan-
tage de cette petite phrase: nous ne sommes
pourtant pas des barbares? Ce serait trop
simple, ce serait trop beau! Avant de mourir,
Commandant von Lüttwitz, il vous faudra
voir, il vous faudra avouer…»

Le Commandant respira: on n'allait donc
pas le tuer tout de suite. Il sourit, d'un sourire
que ne révélèrent pas les flambeaux. S'il
n'avait pas trouvé la défense juridique cher-
chée, du moins il avait par mégarde déclenché
une procédure dilatoire… Mais vraiment la
Lotte était une chienne.

*

Avec la mitraillette dont le canon luit sous
la lune, la traction avant, noire, sans phares,
bondit dans la nuit. Le paysage pelé s'infléchit,

repart, une longue route droite; puis les zig-
zags d'une descente où la route a l'air d'argent.
Des arbres isolés. Des bâtisses. Et le désert
de pierre et d'herbes courtes qui reprend, on
monte, on monte, sans que la vitesse faiblisse.
Le Commandant a peur de cette marche folle
dans la nuit. Qu'a-t-il pourtant à craindre, un
accident? Dans les maisons croisées, les gens
se disent au passage du bolide: «Ah! le
maquis...» Le maquis, toutes les nuits, ainsi
roule. Toutes les nuits, Jean-Pierre et l'abbé et
l'autre, le grand brun, éprouvent cette ivresse
de la vitesse dans un monde entièrement, uni-
quement à eux.

Ils sont tous les quatre dans la traction
avant: le Commandant serré derrière entre
l'abbé et Jean-Pierre, et, devant, le grand brun
à la mitraillette à côté du chauffeur. Le chauffeur vient d'une région toute différente, c'est
un Basque. Il a de belles dents blanches, une
chemise de soie marine aux manches col-
lantes, et une plaque d'identité qui est un véri-
table bracelet d'argent. Un athlète, un joueur
de chistera... Il prend les tournants comme on
ramasse une balle coupée...

Où va-t-on? Les crêtes dansent. Des montagnes sortent des montagnes comme les
pigeons d'un chapeau. La lune est si claire
surtout que tout semble un danger mortel. Où
va-t-on? Dans la voiture d'abord, il n'y a que
le silence, couvert par le bruit de l'engin: on
marche à échappement libre. Ils semblent ne
rien craindre, ces gens-là.

La lune, les pierres, la lune, le défilement noir des crêtes, à un tournant soudain blanchies, comme si le paysage virait au négatif... La lune, la lune... La voix de Jean-Pierre d'abord basse... Le Commandant ne saisissait pas bien ce qu'il disait... puis s'élevant, précipitée, pleine de mots qu'elle charrie comme un torrent les pierres, et on n'a pas le temps toujours de les reconnaître au passage... le Commandant ne connaît pas tous les mots français, et on ne lui a pas appris cet argot que parlent les professeurs de latin et de grec, mais non pas le Dr Grimm... mais non pas le Dr Grimm...

Il parle d'un monde inconnu, le Capitaine Jean-Pierre, où tout un peuple conspire, où le péril de mort n'arrête ni la femme ni l'enfant, les hommes arrachés à leurs maisons ne réapparaissent qu'à l'heure haletante des poursuites, plus humble est la demeure et plus insensé le courage... d'un monde inconnu de souffrances et de privations, de fatigues jamais mendiées, avec pour pain quotidien les alarmes, l'atroce dépliement du journal du matin, qui sait ce que l'on va y lire ? l'espionnage autour de soi, la délation, mais aussi l'exaltation muette, cette lueur dans les yeux pour la première fois rencontrés... les camarades... celui-là qui vient des pays du houblon qui n'a jamais su ce que c'était qu'une combe, ou la chair sucrée des pognes... celui-là qui n'était jamais sorti des fumées et des sirènes, un garçon des villes noires... ce fils de famille

à qui c'est nouveau de cuire un œuf... l'autre
qui a fait la guerre d'Espagne avec les Bri-
gades légendaires... et même un Allemand,
oui un Allemand qu'ils avaient torturé, les
tiens, dans l'énorme fabrique à cadavres de
Dachau, battu, écorché vif, et pourtant se
sauva... un Allemand qui parle tristement de
l'Allemagne... une autre Allemagne... Commandant von Lüttwitz, une autre Allemagne...

« On arrive », dit le grand brun.

Point d'orgue.

Avec le revolver dans les reins, le Commandant von Lüttwitz-Randau descend. On le pro-
mène. Il est au théâtre. On lui fait visiter le
décor. C'est un village en pente où la route
s'élargit pour former une place ravinée, avec
une fontaine pas tout à fait au centre, un bas-
sin de pierre au-dessus duquel monte une
vasque moussue, et l'eau chante. Tout est
blanc, mais d'ici les maisons partent. Et
d'abord on ne leur voit rien d'étrange, à ces
maisons. Elles sont comme si... Elles ont des
façades, elles ont presque des toits. Allons,
marche. Brusquement, ce ne sont plus des
maisons : c'est de la dentelle, l'alignement des
murs se troue sur la lune, il n'y a rien derrière,
rien, ou si, l'amoncellement des gravats, des
poutres écroulées, le fer rouillé, l'enchevêtre-
ment des étages confondus, de grandes exca-
vations, la terre remuée. Et une fenêtre sans
vitre, par miracle encore on ne sait comment
suspendue, grince. Toute la place, allons,
marche, l'autre côté de la place qui est blanc

de la lumière avec ses abîmes noirs... et la rue, longue, étroite, elle tourne sans être épargnée...

«Il y avait huit cents habitants, ici, dit l'abbé.

— Les avions, un jour. Non, non pas les Américains, mon bonhomme. Tes avions. On ne sait pas pourquoi. Un dimanche soir. Tout le monde était à la maison. Sauf les joueurs de boules sur la place. Les avions qui se sont approchés si près, si près, que, pas possible, ils devaient être myopes. Tes avions. Et quand ils eurent détruit tout cela, ou presque tout cela, il se passa trois mois : comme des fourmis, les hommes d'ici, les veuves, les enfants qui n'avaient plus qu'un bras, qu'un pied, avaient ramassé les débris d'un lit, une tenture, déblayé sous les pluies cette maison ouverte, refait un toit, barricadé des fenêtres brisées... La vie, peu à peu, reprenait. Alors, cette fois, ils vinrent de la terre. Par les routes d'un côté, et de l'autre, cernant ces ruines que personne n'en put sortir... et mirent le feu, regarde, juge allemand, regarde les traces noires aux murs détruits... le feu... Et cette femme a préféré sauter dans le feu à ce qu'ils exigeaient d'elle... C'était en 1942... En septembre dernier, on a fusillé, là-haut, trois garçons qui n'avaient pas dix-sept ans...

— C'est la guerre... la guerre une chose triste...» dit le Commandant von Lüttwitz.

Il y eut le rire de l'abbé. Le singulier abbé, qui avait relevé les pans de sa soutane, et son fusil luisait. Le Commandant vit, pour la première fois, qu'il portait une grande croix d'acier bleu sur sa poitrine.

Ils étaient revenus à la voiture, la fontaine chantait son petit refrain clair. La traction avant frémit et bondit dans l'épaisseur de la nuit.

À nouveau des routes et la lune. Des arbres noirs. Des morceaux de forêts. Des huttes, avec des troncs coupés, comme des allumettes abattues. Des champs. Des maisons. Le bruit apocalyptique de l'auto. La vitesse. Jean-Pierre qui parle. De temps en temps, on s'arrête. Encore un village, des ruines, des maisons éventrées, des maisons anéanties, de longs espaces incendiés... Ici l'on a vécu, ici il n'y a pas eu la guerre, mais le passage d'une horde, d'une horde, m'entends-tu? Les filles violées, les yeux d'un blessé arrachés, qui pendaient, là, là sur la joue. M. l'Abbé s'est approché du Commandant et d'un doigt délicat, il a touché l'endroit, près de la commissure droite des lèvres de M. von Lüttwitz, où l'œil pendait. Encore un village, où était-il, ce village? Cherche-le, cherche-le. On va te faire visiter l'école. L'école a toujours sa porte, mais c'est tout ce qu'elle a, et bizarrement le tableau noir sur un chevalet, où de petites mains traçaient à la craie des lettres. Là, vois-tu... Qu'est-ce qu'écrit ici, pour M. von Lüttwitz, la lune, avec la craie de ses rayons? Il soupire:

« C'est la guerre... »

Ah! l'abbé encore a ri.

Ils l'ont amené dans cette région de hauteurs, où les maisons nulle part ne forment un hameau, mais surgissent à droite ou à gauche de la route, sur les pentes du ravin, tous les trois ou quatre kilomètres. Pas une, pas une n'a été épargnée. Ils sont venus avec le fer et le feu...

«Tu as été élevé dans la religion réformée?» demande l'abbé. Le Commandant opina de la tête.

«Et ça ne te rappelle rien?

— Si.»

Des versets de la Bible viennent des profondeurs de l'enfance à sa mémoire. Il hausse les épaules, il dit d'un ton très chagrin:

«C'est une terrible chose, la guerre...»

La chevauchée noire continue. Toute la nuit, ils le promèneront donc ainsi sans épuiser l'horreur, la dévastation? Toute la nuit. Ils ont traversé une petite ville où des sentinelles ont crié. «Les G.M.R.!» a dit le chauffeur. Ils allaient si vite. Un coup de feu s'est perdu derrière eux. De brusques crochets dans la montagne. La lune a maintenant baissé. On passe, dans des cratères de ténèbres, des lieux de massacre, dont la voix furieuse et précipitée, un peu chantante, de Jean-Pierre dit sans relâche l'histoire saignante encore, avec ses mots de toutes les couleurs, crûment, si bien qu'on croirait entendre encore râler les mourants. Mais ce n'est que l'écho de la voiture dans les ruines. Von Lüttwitz s'est fatigué de murmurer son *c'est la guerre*, comme une politesse inutile. Jean-Pierre raconte:

«...Et quand j'ai dû partir, les policiers venaient chez ma femme, et lui faisaient mille vexations, alors un soir elle n'est pas rentrée... elle a été chez ma mère qui habitait une grande ville à trois cents kilomètres de là... Comment vouliez-vous qu'elle ne travaillât pas, quand j'étais au maquis, et tous, tous nos amis faisaient quelque chose... Je la comprends, moi, Marie... Le malheur est... si j'avais été là... Il suffisait qu'on lui parlât de la France pour qu'elle eût les yeux pleins de larmes... c'était facile, elle avait trop facilement confiance... Il y avait beaucoup de gens imprudents, et puis jamais ils n'auraient refusé une chose un peu dangereuse, ils auraient eu honte... alors Marie... J'imagine ma mère, je l'entends d'ici grondant Marie, mais l'aidant... Est-ce qu'on pouvait faire autrement. Et puis si longtemps pour certains il y avait eu la chance, l'impunité. On dit que ce sont les voisins... ce ne sont peut-être pas les voisins... mais on les a tous pris chez Maman... tous... Maman avait soixante-dix ans quand elle est morte, dans le train, étouffée... Marie... on dit qu'elle est en Allemagne... Il n'y a jamais eu de lettre...»

Von Lüttwitz comprit qu'il fallait absolument dire quelque chose:

«Madame votre mère... je comprendrais si elle avait été juive, mais...»

Le rire de l'abbé. Il riait toujours quand il ne fallait pas. On venait de s'arrêter dans une cour de ferme. La nuit n'était pas si noire qu'on ne vît que c'était une grande ferme abandonnée. Il y avait une grande remise à fourrage, beaucoup plus haute que les bâtiments d'habitation, qui formaient un côté de la cour. En face, des écuries ouvertes, on devinait les auges vides. Les murs, les toits ici étaient intacts. Devant la grande porte de bois, les trois hommes avaient poussé le prisonnier. Il se dit : « Ça y est... c'est ici, pour une raison à eux, qu'ils vont me tuer... » et il retira son lorgnon, pour moins bien voir ce qui allait venir...

« Écoute, dit Jean-Pierre, touche ce vantail de bois, là, là... tu ne peux pas voir, dans le jour il y a encore une grande tache... Écoute : dans cette ferme vivait la famille d'un de nos hommes... ils avaient trois fils... l'aîné était mort en Syrie... oui... avec les hommes de Pétain... il n'avait pas compris, on lui avait dit... Mais les deux autres... le petit était trop jeune, celui du milieu, eh bien, je t'ai dit qu'il était dans mon groupe, ça suffit... Il y a un mois, un mois et demi environ, ils sont venus ici le réclamer, ils ont dit que s'il ne se livrait pas, ils prendraient le père... le père a pu s'enfuir... Alors ils sont revenus. Et devant la mère, tu m'entends ? devant la mère, le petit, sur cette porte, touche la porte, juge allemand, touche la porte ! ils l'ont cloué comme une chouette...

— Ce n'est pas possible, protesta le Commandant, on vous a raconté... Ou bien ce jeune homme avait commis un crime... »

À nouveau retentit le rire de l'abbé. Un rire glaçant, presque fou. Et comme il avait réajusté son lorgnon, von Lüttwitz vit très bien que l'abbé touchait, lui, la porte ; et l'abbé dit :

« Quel crime, mon bon monsieur, quel crime ? Le jeune homme avait six ans... et je l'ai décloué moi-même... Bernard... six ans... »

Il ne riait plus. Il pleurait. On voyait le fusil sur son dos qui bougeait. Le grand brun dit très bas :

« C'était son frère... »

Alors le prisonnier eut très peur, et il dit, la gorge serrée :

« Tuez-moi tout de suite. »

Mais la voix de Jean-Pierre répondit, coupante :

« Pour que tu crèves en pensant que nous nous vengeons ? Ah non, par exemple ! »

Encore une fois, la traction avant roulait dans la nuit maintenant tout à fait noire. Le silence était tombé entre eux. Une fois, ils s'égarèrent, le chauffeur arrêta la voiture, ils se consultèrent. Le grand brun et Jean-Pierre avec une lampe anglaise, une de celles qui servent à faire les signaux aux avions, lisaient la carte étalée sur le talus. Le chauffeur se dégourdissait les doigts en se frappant les épaules. L'abbé fumait sans arrêt. Le point rouge de sa cigarette faisait que von Lüttwitz pensait tout le temps à la flamme des fusils. Il regardait le fusil que l'abbé portait en bandoulière. Un instant encore, il avait cru le moment venu quand on s'était arrêté. Il avait peur de la torture. Un Français dans des mains allemandes, on l'aurait sûrement tor-

turé après l'histoire de l'enfant... Il n'imaginait pas possible d'en réchapper, sans quoi il
se serait empressé de trahir les siens. L'idée
ne lui en venait pas, voilà tout. La voiture
repartit.

C'était l'aube quand ils arrivèrent.

«Que veulent-ils encore me montrer?» se
demanda le prisonnier épuisé par la nuit. Il y
avait de petits nuages déchirés, le soleil n'était
pas là encore, mais par une sensation singulière, la blancheur commençait du côté que
le Commandant avait cru être l'ouest: il eut
cette impression qu'on a en se réveillant dans
une chambre étrangère, avec un lit tourné
autrement qu'on en a l'habitude. Ici, il y avait
des êtres vivants. Un coq chanta. Une fumée
montait d'un toit à trois cents mètres. C'était
un dos-d'âne de la colline: d'un côté cela tombait sur une vallée embrumée avec des arbres
séparant des champs, et un bois en face, mais
sur le côté gauche de la route, c'était un
hameau avec une chapelle couverte de feuillages, sans cloche. Les maisons basses et frileuses dans le petit matin s'appuyaient les
unes sur les autres: on devait y dormir.

Cette fois, ce fut le grand brun qui prit la
parole:

«Ici, tu peux retirer ton calot, mon Commandant. Ici, tu sais où tu es?»

Le silence fut si insupportable que von Lüttwitz dit: «Non...» presque malgré lui.

«Bon... tu vois ce mur? Il n'a rien de particulier. Le dos d'une grange, hein?»

Le mur n'avait rien de particulier. Le dos d'une grange.

«Ici... Ils étaient sept. Sept qui ne se connaissaient pas. Une femme du village avec son mioche de dix-sept mois dans les bras. Qu'est-ce qu'elle leur avait fait? On l'ignore. Trois hommes amenés d'en bas. Un inconnu dont on n'a jamais rien su. Et le docteur. Et le docteur. Un jour, ici, on viendra voir l'endroit où le docteur est mort. Il y aura un monument de marbre ou de bronze. Et on viendra voir... Moi, vois-tu, je ne crois ni à Dieu ni à diable. Mais s'il y avait un Dieu, cet homme-là, il avait beau ne pas y croire non plus, ce serait un saint.

— Peut-être, dit l'abbé, qu'on en fera tout de même un saint, un jour.

— Va, reprit le grand brun, tu peux courir la contrée. Parle-leur du docteur, pour voir. Il n'y a personne qui ne lui doive quelque chose. Pas un enfant n'a pu naître sans lui. Pas un vieux qui soit mort, sans que lui se soit levé la nuit, l'hiver, par la neige, n'importe. Il a traversé ce pays dans tous les sens, pendant vingt ans. Sans repos. Partout, dès qu'on avait besoin de lui... Il connaissait tout le monde. Puis il y a eu la guerre. Puis il y a eu les réfractaires, le maquis. Le docteur n'a jamais rien refusé à personne. À N..., il n'y avait pas les Allemands. Mais il y avait le propriétaire de l'hôtel qui était doriotiste, et le fabricant de meubles... Enfin les Allemands ont su. Ils sont venus à N... Ils ont arrêté des gens. C'est le

docteur qui leur a ouvert. Ils l'ont battu, battu,
devant sa femme. «Je n'ai rien à vous dire.»
Ils l'ont battu toute la nuit. Et le matin, à cette
heure-ci, comme ça, à l'aube, ils l'ont amené
ici. Avec trois hommes d'en bas, au hasard. Et
cette malheureuse avec son petit dans les
bras. Un type on ne sait d'où… Devant ce mur.
Un mur qui n'a rien de particulier. Le dos
d'une grange…»

Un mur qui n'a rien de particulier, le dos
d'une grange. Alors M. von Lüttwitz-Randau
enleva son lorgnon pour ne pas voir. Il espérait
vaguement aussi, par ce geste, en imposer;
l'idée enfin lui vint que si on lui en donnait le
temps, il pourrait se rendre utile à ces Français, leur refiler des renseignements que Lotte
ignorait… Il ne sut dire que: «Tirez vite…»
Parce que la peur était la plus forte. La peur de
la torture. La peur de la mort tout court. Il ne
pensait plus à l'Allemagne. Il répéta d'une voix
haletante:

«Tirez vite.»

Mais l'abbé rit de son sale rire, et le Capitaine
Jean-Pierre, de l'Armée française, déclara:

«Tu ne voudrais pas qu'on profane la terre
où a coulé le sang de nos héros…»

Alors ils l'entraînèrent et, à cent mètres de
là, au bord du chemin, comme une poule, ils
l'abattirent.

NOTE DE 1964

Il est difficile à l'auteur de relire cette dernière nouvelle, écrite dans la colère d'un temps où les faits parlaient plus haut que le sens humain. Les personnages du Droit romain n'est plus *demeurent et parlent comme ils furent et parlèrent. Les combattants de la patrie avaient-ils raison dans chaque mot employé ? Cela n'était pas possible, et difficile au moins d'imaginer que* tous *ces hommes qui portaient les armes n'étaient pas les complices de ceux dont ils exécutaient les ordres. Qu'on se souvienne pourtant que, rappelant les mots mêmes d'une de leurs victimes, le Manouchian de* l'Affiche rouge, *l'auteur a écrit ce vers :* Je meurs sans haine au cœur pour le peuple allemand. *Mais la justice rendue à un peuple n'implique pas l'oubli des souffrances de l'autre.*

Et que ceci se termine sur la haute figure d'un pays, à tous autres que ses fils impénétrable, tel qu'en lui-même enfin l'avait fixé Paul Cézanne.

Impression Société Nouvelle Firmin-Didot
à Mesnil-sur-l'Estrée, le 20 novembre 2001.
Dépôt légal : novembre 2001.
Numéro d'imprimeur : 57309.
ISBN 2-07-042199-6/Imprimé en France.